AIR INDIEN

DU MÊME AUTEUR

Poèmes *(Au Sans Pareil)*, 1914-1925, 14e édition.
Tendres Stocks *(N. R. F.)*, 1921. 21e édition.
Ouvert la Nuit *(N. R. F.)*, 1922. 135e édition.
Fermé la Nuit *(N. R. F.)*, 1923. 85e édition.
Lewis et Irène *(B. Grasset)*, 1924. 116e édition.
New-York. *(Flammarion)*. 264e édition.
Flèche d'Orient *(N. R. F.)*. 1932. 60e édition.

CHRONIQUE DU XXe SIÈCLE

I. L'Europe Galante (Europe) *(B. Grasset)*, 1925.
113e édition.
II. Bouddha vivant (Asie) *(B. Grasset)*, 1927. 98e éd.
III. Magie Noire (Afrique) *(B. Grasset)*, 1928, 106e éd.
IV. Champions du Monde (Amérique) *(B. Grasset)*.
1930. 94e édition.

VOYAGES

Rien que la terre *(B. Grasset)*, 1926. 76e édition.
Le Voyage *(Hachette)*, 1927. 20e édition.
Hiver caraïbe, documentaire, 1929. *(Flammarion)*.
54e édition.
Paris-Tombouctou, documentaire, 1928. *Flammarion*.
64e édition.

DIVERS

1900. *(Editions de France)*. 1931. 82e édition.
Papiers d'identité. *(B. Grasset)*. 1931. 45e édition.

PAUL MORAND

—

AIR INDIEN

ÉDITIONS BERNARD GRASSET
61, RUE DES SAINTS-PÈRES, VI
PARIS

AIR INDIEN

L'AIR

L'air et l'eau, la terre et le feu, les
quatre Eléments de l'antique science, se
sont partagé les continents. L'Afrique est
vouée au feu, l'Asie et l'Europe à la terre,
l'Océanie à l'eau, mais l'Amérique a son
principe dans l'air, le grand air, un air
jeune, franc, sans ombre ni ride, qu'excite
l'électricité. Certes, l'éther des Andes
n'est pas la brume gluante et épaisse de
la côte Atlantique, mais cependant au-
dessus de toute l'Amérique plane *un air
de famille*, un air panaméricain. Avions,
T. S. F., gratte-ciels, soleil inca qui diri-
gea Pizarre, lune qui guida Lindbergh.
ciels du haut Pérou pleins de dieux, ciels
de New-York pleins d'ondes hertziennes.

Manco Capac et Wilbur Wright, l'Amérique fabuleuse d'hier et celle où s'éla-
borent les mythes de demain, tendent à
quitter le sol, à vivre au plus haut.

Car l'Amérique est une; créée le même
jour, elle se dédouble, répétant un même
motif par raison d'équilibre esthétique,
d'économie organique, comme se répètent les reins, les oreillettes du cœur, les
circonvolutions du cerveau, les étamines.
Le Nord réfléchit le Sud, les Andes se
nomment ailleurs les Rocheuses, mais ce
sont les mêmes montagnes; si une force
transversale paraît attirer le Brésil atlantique vers l'Afrique, tandis que le Pérou
obéit à une attraction polynésienne, il
reste certain qu'une force opposée a soudé
entre eux les deux triangles dont la res-
semblance n'est pas due seulement au
hasard. Depuis Humboldt et Reclus, cette
similitude frappa tous les géographes. Un
double gel, antarctique et arctique, termine l'Amérique, lui saisit les pieds et la
tête; la savane recommence la pampa; ici

le Mississipi et l'Orénoque, là, le Saint-
Laurent et l'Amazone se plagient; les
richesses agricoles et souterraines sont les
mêmes, comme les fastes incas, mayas ou
aztèques, comme sans doute les origines
préhistoriques; Iroquois ou Algonquins,
Aymaras ou Quechuas, noms divers pour
une même couleur de peau; un seul Colomb pour les deux mondes; une seule
lutte, au Nord et au Sud, contre l'Indien
et la forêt; un seul cri poussé contre le
tyran, Charles III d'Espagne ou George
d'Angleterre. Pourquoi a-t-il fallu que
l'histoire et la politique divisassent ce que
la nature avait uni? Pourquoi les Dieux,
qui conçurent la terre sans frontières, ne
nous la rendent-ils pas telle qu'ils nous
l'ont donnée? Péniblement, l'humanité
s'élève du clan à la nation, de la nation à
l'empire, puis, au moment où réapparaît la
grande simplicité de la terre, — sous Gen-
gis Khan, Charlemagne, Charles Quint,
— les empires se cassent et tout est à
recommencer.

Air indien, dont je connais maintenant
toutes les couleurs, tous les jeux, dont je
juge l'ensemble et le détail et dont je vais
parler, en toi je retrouve l'Amérique pri-
mitive et non cette tapisserie rapiécée
par les fils d'un nationalisme taquin;
l'Amérique, telle qu'elle devrait être, indi-
vise, sans autre partage que ses climats,
telle que le Créateur la voulut, telle que,
sans doute, la peupla l'Asie et telle que
Bolivar la rêvait... Son rythme élémentaire, c'est celui de l'inspiration et de
l'expiration du grand Manitou ou du
divin Kôn, alternances de la sécheresse
et de la pluie, flux du bleu et du gris, du
chaud et du froid, jusant de l'action et
de l'inaction, séquence de l'effet et de la
cause.

Par dessus les querelles de mitoyenneté
où l'Europe épuisa son sang, par dessus
l'étirement désespéré des routes de caravanes où l'Asie usa son temps et ses
forces, l'homme américain a passé directement du sentier de guerre aux pistes du

ciel; d'un seul bond, par dessus l'histoire, il est arrivé à ce ciel, libre royaume où il ne rencontre rien, que l'oiseau.

Car l'Amérique entière vit sous le signe de l'oiseau. Toutes les civilisations américaines ont adoré le Soleil et révéré ce qui s'élance vers le soleil : l'oiseau, l'avion. En Amérique du Sud, s'il n'y a encore pas plus d'une douzaine de lignes aériennes, il y a, par contre, deux mille cinq cents espèces d'oiseaux, ayant chacune leur altitude, leur climat, leur fleur, leur grain préférés; l'Œuf, ici domine la religion et la vie, comme il surmontait, symbole de fécondité, le trône de l'Inca. Plus avant, tout au fond de la mythologie préincaïque, guette déjà l'oiseau protecteur. Un déluge inonda les terres, dit le conte indien, et comme les eaux baissaient, les premiers hommes, réfugiés sur un radeau, envoyèrent le chien à la recherche de la terre ferme; il revint mouillé, signe que Dieu n'avait pas encore fait sa paix avec le monde; une seconde fois, le

chien revint crotté : la terre émergeait
donc... C'est alors qu'un colibri, une
feuille au bec, donna aux survivants du
désastre le signal de la délivrance. Et
Humboldt nous apprend qu'une colombe
enseigna aux tribus des Andes le langage
articulé.

Hommes-oiseaux des poteries rituelles
du Grand-Chimu, oiseaux auguraux qui
décidaient du sort des empires péruviens
et dont le vol était déchiffré comme une
écriture par les grands prêtres; oiseaux
peints sur les masques des sociétés secrètes qui se perpétuent chez les Aymaras; oiseaux mécaniques d'or et d'argent,
dont les vierges incas s'amusaient à leur
balcon, au temps où ceux de Perse et de
Byzance amusaient Charlemagne; cor-
beaux de bois peint des maisons à pignon
de Colombie; momies de perroquets, dont
les couleurs acides dorment dans l'obscurité des tombes de terre cuite; oiseaux
siffleurs des vases funéraires d'où l'eau,
en s'échappant, imite le rossignol et le

merle; ailes des guerriers de la préhis-
toire, dont les Sioux de Fenimore Cooper,
emplumés comme des volants, sont les
survivants. Aigle des bannières de conquistadores, aigle bicéphale de Charles-
Quint dont s'honoraient les écus vice-
royaux du Pérou, aigle yankee lacérant
de ses serres des étoiles, aigle mexicain
terrassant le serpent; corbeau perché sur
le pauvre crâne fou de Poë comme sur les
poteaux totémiques de l'Alaska; condor
des monnaies boliviennes, montant et
descendant comme elles, condor des théo-
gonies qui transporte chaque soir sur son
dos le soleil et le ramène le matin, vainqueur du jaguar, dieu de la Nuit, condor
qu'on retrouve sur le plus ancien monu-
ment précolombien, la porte monolithe
de Tihuanaco...

Oiseaux des tropiques et oiseaux des
neiges, flamants roses, ornements des
lacs de Chili et de Patagonie, échassiers
des marécages brésiliens ou des étangs
d'Uruguay à iris jaunes, hérons stridents,

autruches des pleines herbeuses, ibis masqués comme le Docteur de la comédie
italienne, cigognes debout sur leur tour
de guet, aigrettes candides, cacatoès à
dos bleu, aras amazoniens, vautours roux
qui se réunissent aux faubourgs pour des
services de voirie, comme des congréga-
tions de prêtres pour le nettoyage des
âmes. Oiseaux qui essorent en cercles
agrandis, oiseaux qui montent comme des
pierres lancées. Oiseaux de proie, éperviers friands de carcasses, faucons qui
picorent à même la chair vive des
chevaux cheminant blessés; rapaces convoitant les lourds gallinacés, aiglons qui
regardent droit le soleil; harpies à l'odeur
infecte...

Oiseaux chanteurs de l'Amérique du
Sud, à eux seuls plus nombreux que tous
les autres oiseaux d'Europe; oiseaux mi-
grateurs descendus du Nord à la pour-
suite d'un continuel été; hirondelles, *go-
londrinas* orangées d'Argentine, venues,
comme les immigrants de Biscaye ou de

Sicile, pour la moisson. Cygnes noirs,
évoluant entre les yachts argentins du
Tigre, cailles du désert, aigles des lacs
chiliens, piverts à bec blanc, hirondelles
bleues du Brésil teintes du même azur
que les papillons, hirondelles des falaises
patagoniennes, oiseaux-mouches jaune
soufre des cataractes de l'Iguassu, pies
mangeuses de fourmis, coqs de Colombie,
chouettes des neiges, blanches comme les
icebergs fuégiens; oiseaux chiliens à lunettes, oiseaux-sabre, oiseaux à queue
bifide, oiseaux turquoise...

Oiseaux de mer, pétrels, pingouins,
fous et pélicans des côtes du Pacifique,
oiseaux dont la fiente suffit à faire vivre
de grandes nations. Canards coureurs
dont la pointe des ailes égratigne l'eau,
grandes mouettes noires et blanches de
la Plata, nuages d'oiseaux des archipels
magellaniques, oiseaux traqueurs de crabes et mangeurs de moules. Oiseaux bons
voiliers, cormorans, frégates huilées...
Griffes et becs, becs durs, courbes,

coniques, spatulés... Oiseaux innombrables, vous fendez de vos ailes ouvertes
l'air neuf, l'air américain.

Si la pampa compte peu d'oiseaux, —
car, à part le râle ou la perdrix, la gent
ailée aime les arbres et redoute les espaces
découverts, — que de courlis, bécasses,
pluviers, vanneaux, au sud de la Sierra;
tous les petits oiseaux, moqueurs et que-
relleurs, rieurs ou poursuiveurs, moi-
neaux du Chaco aride, debout en sentinelle à l'extrémité d'un chardon, passe-
reaux jaunes épars dans l'herbe de la
pampa comme des jonquilles, oiseaux
découcheurs et oiseaux bourgeois qui se
mettent dans leurs meubles; martin-
pêcheurs platéens, coucous, bécassines du
Paraguay, petits toucans verts voletant
dans l'air humide et frais des sous-bois...

Et tous ces marchés d'oiseaux, marchés
du vieux Rio-de-Janeiro, où, parmi les
poissons gros comme des squales, les per-
ruches, vertes de dos, bleues de ventre, se
bourrent de coups, mais meurent de dou-

leur sitôt qu'on les sépare; marchés de
Santiago où roucoulent les palombes du
Chili et becquètent à même les rues les
colombes familières, roses et noires; pi-
geons peints du marché de Buenos-Aires,
enduits d'azur à l'aniline, de rose pom-
pon, d'ocre impossible, oiseaux des né-
gresses de Colombie, veuves et tyrans à
la porte des quartiers réservés et des bars
de Panama, oiseaux des marchés de Ca-
racas dans leur prison de fibre, cardinaux en cage comme des cardinaux de
la Renaissance; oiseaux exotiques ramenés en Europe par les soutiers et vendus
à Bordeaux ou à Marseille, avec leurs
frères du Sénégal; à Marseille, sous les
combles de cette extraordinaire maison,
près du Fort Saint-Jean...

C'est en décrivant les oiseaux de l'Amérique du Sud que Hudson, — grand clas-
sique anglais, — découvrit sa vocation
d'auteur. Bien différent de Buffon qui,
comme disait drôlement Degas, a toujours l'air de prononcer l'oraison funèbre

des animaux, Hudson leur rend la vie,
tant il les aime.

Tout le folklore de l'Amérique du Sud
n'est qu'une volière; palombes, canards
y sont sans cesse invoqués, colombes
blanches de la Cordillère :

> *Palomita blanca*
> *de las Cordilleras*
> *prestame una pluma*
> *para mi recuerdo,*

> Colombe blanche de la Cordillère
> donne-moi une plume
> pour me souvenir,

et les oiseaux eux-mêmes se réunissent
parfois pour danser, sur ce continent des
sambas et des maxixes, du tango et du
péricon, de la rumba et du fox-trott, où
l'homme saute dans la paix et dans la
guerre, repousse la terre du pied et cherche, plus qu'ailleurs, à se maintenir au
ciel.

Non seulement l'oiseau, mais son symbole, la Plume...

Plumes !

Plumes qui furent le motif par excel-
lence de la décoration inca et restent
depuis des siècles la parure favorite des
Indiens, barbes rigides dressées autour
de leurs autels, plumes en éventail autour
du cou ou piquées dans les cheveux plats,
grands manteaux de cérémonie de l'Amazone, à plumes jaunes et rouges, pareils
aux tuniques de guerre, insignes du pou-
voir de l'Inca, pareils aux capes de plumes
du Pacifique, des îles Hawaï et de l'Australie que connurent encore Cook et Bou-
gainville.

Plumes des Iroquois, des Apaches (et
l'Indien lui-même a l'œil de l'oiseau,
l'œil latéral du rapace diurne...), plumes
d'autruche derrière la tête du Soleil
inca; (et le serpent aztèque a la peau
imbriquée, non d'écailles mais de plumes). Plumes de la couche des anciens caciques amollis qui dédaignaient
le sommier en peau de bœuf. Lorsque les
Espagnols violèrent les temples incas, ils

y trouvèrent, à leur étonnement, d'immenses stocks de plumes; les arbres
mêmes en étaient ornés; la plume cons-
tituait le seul vêtement noble; les dra-
peaux des régiments incas se tissaient en
plumes et les batailles semblaient livrées
par de gros oiseaux, car les guerriers plu-
meux dans leurs casaques roses et lilas,
tels qu'on les voit encore autour des
jarres prépizarriennes, marchaient au combat sous la conduite de chefs « pareils à
l'oiseau-mouche ». Les herbes mêmes de
la pampa ont l'air de plumes; dans les
ballets donnés sur les toits de New-York,
c'est de plumes que sont faits les robes
et les éventails des danseuses huppées de
Ziegfeld, comme aussi de plumes, autrefois, les lits des courtisanes de Lima et
les panaches des casques aux tournois de
Potosi.

Plumes des chérubins et des anges jésuites...

De Vancouver jusqu'en Patagonie en
passant par le Mexique, les officiants des

dernières cérémonies rituelles dansent encore en costumes d'oiseaux, les bras pro-
longés par des ailes. Les danseurs sikuris,
à robes de duvet vues par nous en Bolivie,
cherchent, par leurs contorsions, à imiter
les danses d'amour des faisans. Dernière
vague américaine d'une civilisation de la
Plume qui recouvrait toute la Polynésie,
le Pacifique, jusqu'aux lointains rivages
ornés du plumage sinistre des dieux néo-
calédoniens, jusqu'à la sauvagerie aus-
tralienne en parures d'aigrettes, jusqu'à
la Nouvelle Guinée aux casques à pen-
nages d'ocre et de vermillon, jusqu'aux
Philippines qui portent les chapeaux de
Bila, jusqu'à la Nouvelle Irlande où les
oiseaux les plus tropicaux prêtent à
l'homme nu les flèches éclatantes de leurs
ailes.

Les avions sont des oiseaux qui chantent toute l'année; ils partent vers les villes,
mus par une vocation certaine et viennent
se poser, après des circuits internatio-

naux, sous les yeux du chef de l'aérogare,
comme le faucon sur le poing du faucon-
nier; oiseaux dont les œufs sont des valises
et des sacs postaux, qui obéissent à une
migration solitaire en suivant le tracé
exact des côtes, avec arrêt nocturne en
leurs nids de tôle ondulée. L'Amérique
est le pays de la ligne droite. Jusqu'à
l'arrivée des Européens, la roue, le tour
lui étaient inconnus; la courbe est ro-
maine, la volute, d''importation jésuite.
« En archéologie, dit Beuchat, l'art américain a toujours ignoré les mouvements
cycliques; c'est le pays des formes anguleuses ». L'Amérique est faite pour l'a-
vion.

En quelques jours, l'écart de dix mille
kilomètres qui sépare l'hiver de l'été est
franchi. Grâce aux avions, nous avons
retrouvé le temps perdu par les chevaux
ou les voiliers, nous récupérons le capital précieux gaspillé par nos pères dans
les carrosses et les litières. Les avions
français et les aéronefs allemands éta-

blissent la liaison avec l'Europe; les avions de cabotage argentins, brésiliens, chiliens, péruviens, et surtout la grande ligne yankee s'assurent depuis deux années la maîtrise du continent par le service le plus vaste et le plus régulier du monde; l'air indien voit sa limpidité traversée d'oiseaux toujours ouverts, au plumage de duralumine, nés de l'auto comme leur frère ailé est né du reptile.

Tous les récits aériens donnés jusqu'ici au public sont extraordinaires. Ce ne sont que hauts faits, périls nocturnes, records audacieux, prouesses inouïes pour l'émerveillement des enfants et pour le découragement des grandes personnes. Je voudrais, moi, décrire maintenant le quotidien, le normal, présenter le point de vue du voyageur qui fait signe quelque part à l'aérobus bi-hebdomadaire de s'arrêter; ce très ordinaire « colis » qui monte le matin dans la carlingue, y déjeune, y lit, y bâille, en descend le soir pour se reposer, est sorti pour toujours de l'époque héroïque dans laquelle se complaît encore l'Europe. Ayant pris mon billet anonymement au guichet, dans l'hémisphère sud, je vais dire comment, sans fanfare ni champagne, j'ai atterri à l'heure dite dans l'hémisphère nord.

ADIEU A BUENOS-AIRES

Pareil à l'oiseau de Buffon, je porte dans mon cerveau une carte géographique des pays que j'ai parcourus.

Bien qu'elle soit déjà loin derrière moi, je conserve de l'Argentine l'image d'une grande peau étendue au soleil. Je revois, dans un admirable ciel d'hiver, une capitale où tout est comestible : maisons en belle chair, rues toutes en muscles, cœur de filet, côtelettes premières sans os et sans nerfs... Buenos-Aires, au bord de l'estuaire platéen, au bord du Rio large de quatre-vingts kilomètres, lagune couleur gris bleu nacré, plage cendrée avec des trous bleu de ciel et le chenal balisé de noir... Je surveille son port gras que domine la coupole du Congrès et six donjons cylindriques de ciment sans meurtrières, l'un à l'autre accolés dans le style des remparts bourguignons d'Avila : les réservoirs à grains de la maison Louis Dreyfus... Ce que les tours de cathédrale sont pour une ville du Pérou, les silos le sont à Buenos-Aires. L'Empire caraïbe a été créé par la Nature, l'Empire inca a été engendré par les Dieux, mais l'Argentine a été faite par des hommes. Tout y porte la marque de l'homme. Ce n'est pas Dieu qui aurait eu l'idée de faire voyager à travers les mers la vache hollandaise pour la croiser avec le taureau australien; ce n'est pas lui qui a imaginé de baratter le lait électriquement ou de faire tenir des bœufs entiers, sous forme d'extrait concentré, dans une petite bouteille. Dieu dit : « Croissez et multipliez », sans s'inquiéter de la qualité; ce sont les hommes qui croient au *pedigree*, payent un étalon un million, et savent fabriquer des aristocraties de quadrupèdes ou d'orchidées, en attendant de fournir sur commande des athlètes ou des savants.

Lorsque Sa Majesté très Catholique interdisait à sa colonie platéenne d'échanger des produits avec tout autre pays que l'Espagne, Elle se montrait prévoyante; Elle mettait sous clef le plus grand garde-manger du monde et s'assurait des clients de plus en plus désirables. L'habitant de Sainte-Marie-du-Bon-Air devait acheter en Espagne sa paillasse et son vin, son couteau et son suaire; il les recevait au bout de deux ans apportés à dos de mulet ou d'Indien, via Panama, par dessus les Andes. Le bout du monde, ce n'était plus alors le Pérou mais ce Buenos-Aires visité parfois par quelques caravanes de Jésuites à califourchon sur leurs mules, Buenos-Aires, poste de quarantaine isolé, fin d'une zone perdue, cul-de-sac puant

l'Indien et le capucin; triste bourgade
plate, au sous-sol sans métaux, puisard
où, dès qu'on creusait, sourdait l'eau.....
Après les cris des derniers sauvages fusill-
lés par Rosas et couchés sur leur bouclier
de peau, voici le meuglement des premières vaches, la cloche des premières
locomotives. Ce qui a créé l'Argentine,
ce n'est pas l'Espagnol, c'est le Basque,
c'est l'Allemand, c'est le Français, c'est
l'Italien; ce n'est pas Juan de Garay, c'est
Liebig; ce n'est pas don Pedro de Mendoza, courtisan enrichi au sac de Rome,
c'est le Français Tellier, inventeur du fri-
gorifique.

L'historien de la conquête espagnole,
Prescott, s'est demandé une fois ce qui
serait advenu des Amériques si, croisant
leurs routes en diagonale, les Quakers
avaient débarqué à Buenos-Aires et les
Espagnols au Canada. A ce petit jeu de
devinette, les solutions ne manquent pas;
voici la mienne :

Amérique du Sud : des bungalows de

bois sous des toits de tôle ondulée; des
canots rapides pleins d'infirmiers en blanc
parcourant l'Amazone, armés de seringues
contre les moustiques; des baraques d'Y.
M. C. A. en guise de cathédrales; pas un
seul métis; les Indiens au travail et des
ingénieurs de race blanche, les manches
retroussées, transformant le pays grâce
aux migrations. Lima s'appelle New-
York, et Rio la Nouvelle-Orléans. L'argent et l'étain boliviens remplacent le
fer, le charbon et l'acier; Potosi se nomme
Pittsburg; les Andes sont trouées de tun-
nels comme une écumoire et les régions
basses cultivent la canne à sucre, pour le
rhum clandestin. La Patagonie est fortifiée
contre les Japonais et l'Orénoque a le
vote des femmes. Tous les Etats de l'Amérique du Sud payent leurs dettes...

L'Amérique du Nord : un immense
continent herbu et silencieux, divisé en
cent-quatre-vingt-dix-huit républiques.
Sans métaux précieux pour appâter les
Latins, l'Amérique du Nord est restée

une pampa déserte. Au Canada, des métis d'Indiens font de la politique; les nègres votent en Alabama, et la Floride est un Etat noir indépendant. A Détroit, à la place de l'usine Ford, s'élève la grotte d'une Vierge miraculeuse et les prostituées françaises vivent dans de petites cases à San Francisco, (qui n'a pas changé de nom); les îles Hawaï sont devenues une forteresse d'Etat, assez grande pour contenir tous les Présidents de République déchus. Des monastères couvrent les flancs des montagnes Rocheuses, et, le soir, on entend leurs cloches sonner l'angelus à Hollywood. Les Brésiliens patinent à Banff, roses et blonds.

Bref, le Sud serait devenu le Nord et inversement; un seul pays serait resté identique à lui-même : l'Argentine, car Anglais, Basques, Allemands, Français et Italiens, tous ces ancêtres des Argentins, je les conçois aussi prospères, travailleurs et prolifiques au Kentucky et au Texas qu'à Tucuman ou à Corrientès..... si Dieu avait voulu les y envoyer.

J'en vois la preuve dans ce port de
Buenos-Aires que j'avais hier encore
sous les yeux, avec ses tracteurs débarquant des Etats-Unis, suspendus dans le
ciel bleu au bout d'un filin, parmi les bâtis
de traverses ferroviaires en bois dur, les
pieux de ciment armé et les fils barbelés
destinés au lotissement de la pampa nouvelle. Mon regard traînait le long des
docks, où les laines se trient en trois caté-
gories, où s'entassent les ballots des toi-
sons blanches de millions de brebis dé-
pouillées électriquement. Plus loin, dans
le fouillis des haussières en colimaçon et
des cordes de remorquage, pareils aux
feuillets de vieux livres brûlés d'humidité, s'élevaient en piles les cuirs et peaux
des bœufs, des moutons, des juments...
Et plus loin encore, se perdant dans la
poussière blonde, les hangars à crins, à
poils, à cornes, les réserves de noir animal, lieux incolores où tous les sous-produits de l'étable et des abattoirs prépa-

rent leur voyage à travers les océans.
Dans cette cité de tôle ondulée se conge-
laient, malgré le soleil, en leur hiver éternel, les belles viandes argentines désormais intactes, gardant tout leur suc, et
qui ne rappellent plus guère la bidoche
salée et boucanée que les anciens voiliers
transportaient en de mauvais barils. Les
bateaux frigorifiques, les bateaux-citernes
se découpaient sur la ligne dure du fleuve,
et les guirlandes de fumée noire semblaient se tresser, se natter, quand deux
vapeurs se croisaient au large. Bateaux
posés au haut de l'horizon, comme des
objets sur une console. J'avais à ma gauche, prises dans l'étau des quais, les
batelleries fluviales, à ma droite les navires de haute mer, noirs charbonniers
anglais, cargos américains blancs, nou-
veaux vapeurs suédois, gris, trapus, aux
courts et puissants mâts de charge, où
l'œil cherchait en vain les cheminées,
désormais abolies.

Mais, l'essence même de Buenos-Aires,

c'était, au bord de la Plata, de la
mer d'eau douce dorée par le soleil
du printemps, cette grande tache fauve
étendue à mes pieds : le blé. Il arrivait des estancias en chars-à-bœufs
pyrénéens, de Rosario en barges par le
fleuve, et par la route, en camions; de
partout il convergeait au centre de l'immense éventail de fer des railways, en
wagons qu'on ne prenait même pas le
temps de décharger, mais qui se soula-
geaient d'un coup, sur des grilles, de
toutes leurs moissons glissant dans les
sous-sols. Les sacs, on ne les ouvrait pas,
on les éventrait comme les cochons, et les
voilà qui répandent leur sang blond sur
un large ruban de cuir, d'où des godets
de drague les hissent jusqu'au sommet
des silos; de là, ils retombaient, hors de
conduites carrées, dans les soutes des
navires dont la ligne de flottaison gra-
duellement s'abaissait. Lorsque le courant d'air du fleuve balayait la poussière,
nuages de terre séchée, invisible partis-

cules de la pampa réduite à l'impalpable,
j'apercevais, au fond des cales, des dé-
bardeurs pris dans le flux montant du
froment et qui l'égalisaient, à mesure
qu'il les engloutissait, d'abord jusqu'aux
genoux, puis jusqu'à la taille, bientôt
jusqu'aux bras. Les contre-maîtres cir-
culaient en imperméable de toile blanche,
et leurs pas laissaient dans la poudre ou
dans la farine les traces des raquettes
dans la neige. Silos argentins, frères
géants des greniers à mil qui élèvent au
milieu des villages soudanais leur tour de
terre cuite, centrales distributrices des
richesses planétaires, si terriblement pareils aux réservoirs du communisme inca...
Tous les grains, vannés, éventés, jave-
lés, tombés des gerbes fauchées par batail-
lons. Maïs rouge, graines de lin d'un noir
violacé, blé jaune, blé doré, blé de basse-
cour, blé pour le Japon, blé pour l'Europe, et le blé le plus blanc réservé au
Brésil et descendu sur des toboggans
anglais; des hommes, à travers le bâillon

des mouchoirs — car les émanations pulvé-
rulentes du blé chaud les saisissaient à la
gorge — donnaient des ordres à d'autres
hommes nus, habillés de leur seule sueur,
et comme enduits de graisse de phoque...
De l'autre côté du port, au bord de la
ville, plus haut encore que les réservoirs,
les Banques inébranlables, les grandes
maisons d'exportation, recélaient le Di-
recteur au centre de sa toile téléphonique
et télégraphique; à tous les étages, des
secrétaires contrôlent les départs, poin-
tent sur les cartes les récoltes bonnes et
mauvaises, passées ou futures; classent
sur fiche les possibilités de chaque gare,
de chaque ferme; sélectionnent les se-
mences; reçoivent jour par jour le blé en
herbe pour en surveiller la croissance,
du fond de leurs bureaux. Tic-tac du
télégraphe Morse, arrivée des commandes
de Scandinavie ou de Chine, halètement
des cours de Chicago et de Winnipeg. Blé
d'Argentine ainsi jeté au monde affamé
et repu, blé difficilement vendable à

quarante francs le quintal, blé, fléau mondial, blé qu'on accueille aujourd'hui avec un sourire amer, comme on accueille le nouveau-né dans les familles trop nombreuses, blé qui ira s'entasser dans les hangars trop pleins, près de celui de Hongrie, de Roumanie, d'U. R. S. S., du Canada, de Brie, blé aux épis si serrés et si barbus que dans leur immense nappe australe, les rouges batteuses disparaissent et semblent faire naufrage. On voudrait arrêter ce blé, en retarder la maturité, en stériliser le placenta, crier : « Halte ! » aux semeurs. Mais déjà la nouvelle moisson s'annonce splendide et les disques d'acier poli des faucheuses et des lieuses attaqueront dans quelques mois un sillon qui, commencé le matin, ne sera pas terminé avant le soir.

Le port finit au Paseo de Julio; au-delà, c'est la ville avec ses autos embouteillées dans le quadrillé étroit des rues encombrées de tramways qui laminent le passant contre les façades. Buenos-

Aires avec ses maisons blanches dans
le goût de Monte-Carlo, ses hôtels aris-
tocratiques qui sourient à la rue comme
des avant-scènes un soir de gala, ses
parterres de cinéraires et ses eucalyptus
froissant leur feuillage sec et parfumé,
est un morceau de Méditerranée égaré
de l'autre côté de l'Atlantique; ses vieux
quartiers continuent tout naturellement
le vieux Nice; les foules y grouillent
comme une masse poissonneuse dans
un vivier en curage. Au bord de l'eau,
c'est le quartier de la Boca, qui ressemble au vieux Gênes avec ses *gringos*
ou métèques, ses émigrants aux poches
et au ventre plats, attablés parmi les
affiches du Lloyd Sabaudo, s'entassant
dans les ventes aux enchères, sous les
maisons à arcades, convoitant les harnais ornés de piastres d'argent et les
fusils à percussion centrale, *peones*, valets agricoles, habitués à coucher en
plein vent, la tête sur la selle; chan-
teuses à cheveux crêpus, qui font rire

en dialecte ligure; tirs forains, femmes-monstres, *ship-chandlers*, montreurs de pupazzi, parmi des fiasques de chianti servies par des Gênois à boucles d'oreilles. Et partout l'odeur de grillé (l'odeur même du temple de Salomon et des souks) du mouton entier, embrasé, calciné, pleurant sur le charbon ardent ses lourdes larmes de graisse qui remontent en fumée vers un plafond où pendent les fromages testiculaires et autres délicatesses parmesanes.

C'est à la Boca qu'est né le tango. Ce que *la ranchera*, la *chacarera*, le *péricon* sont à la pampa, le tango l'est à la ville. Sous des noms divers on retrouve la polka villageoise dans toute l'Amérique du Sud, mais le tango, c'est Buenos-Aires... Comme elle, il date de notre siècle; il est tendre, sensuel et métissé d'italien; le tango parle andalou avec l'accent napolitain au son de l'accordéon allemand; jadis les hommes ne le dansaient qu'entre eux, dans les rues

étroites, la fleur à la casquette; le tango
a été prendre ses lettres de noblesse à
Paris où l'acclimatèrent juste avant la
guerre les gens du milieu; de là, il est
passé dans les thés des grands hôtels;
de là, il est revenu forcer les portes des
salons *porteños*, non sans peine, comme un
parvenu cosmopolite qu'il est. C'est ainsi
qu'il faut le prendre et l'aimer; cette
copulation rythmée, les vice-rois ne la
dansaient pas à Lima avec leurs péri-
choles, ni les paysans chastes, et qui
ballent en vis-à-vis. Le tango est déjà
vieux, parce qu'il a trente ans, mais il
survit à la mode; Paris l'a abandonné,
Londres et New-York ne l'ont jamais
adopté, mais Buenos-Aires le garde et
l'aime; il est méditerranéen, il a cet
air de famille qu'ont Buenos-Aires, Alger, Barcelone, Smyrne, Marseille; n'est-
il pas marseillais d'accent ce profes-
sionnel du tango populaire qui dit,
avec jactance, dans la chanson argentine :

> Quand je fais dans le Sud
>   le double corte
> on en cause jusque dans le Nord!

La dernière vision que j'ai de Buenos-Aires, perdue dans la brume à mesure que je m'éloigne, c'est la grande tache verte de Palermo, le quartier du beau monde. Après la Boca à l'argent rare, Palermo à l'argent facile; Palermo si triste dans sa richesse, si absolument comme-il-faut, le quartier des cheveux luisants et des bottines laquées, où des autos, plus vernies encore, circulent au ralenti, pleines de familles tout en noir, qui saluent d'autres voitures venant en sens inverse, pleines d'autres familles également en noir (car l'Argentine est une nation de cousins, unis par des deuils); le tout sur des fonds de saules excessivement pleureurs. Musset a écrit :

> Mes chers amis, quand je mourrai
> Plantez un saule au cimetière...

Ce saule planté sur sa tombe venait

d'Argentine. D. H. Lawrence, Keyser-
ling et Waldo Frank, avant moi, ont dit
la mélancolie qui s'exhale des terres américaines. Des *tristes* (qui sont les *blues* de
l'Amérique hispanique) aux *saudades* du
Brésil, en musique le Continent pleure
et regrette; les Indiens pleurent l'Inca sur
leur flûte faite d'un tibia humain percé,
les nègres du Brésil pleurent l'Afrique
(bien qu'ils aient beaucoup gagné au
change), les élégants de Santiago pleurent
Piccadilly, les intellectuels pleurent Moscou, les jolies femmes, Paris; mais peut-
on se plaindre ainsi quand on habite une
grande cité heureuse et neuve, comme
Buenos-Aires, une ville où les jeunes
filles sont si belles, une ville qui, elle-
même, a l'air d'une jeune fille... Il faut
les voir, les demoiselles, le samedi, à Florida, à l'heure où les voitures ne circulent plus, entre midi trente et une heure,
quand, après avoir été une rue américaine,
Florida redevient un *forum* latin; alors les
niñas du grand monde prennent la place

des *chicas* de la rue, sous les yeux intéressés des membres du Jockey Club, forteresse de l'ennui masculin; une demi-heure plus tard, c'est le déjeuner chez Harrod's, garçons à droite, filles à gauche, comme à la messe; l'intimité ne se portant pas du tout en public, ils sont assis par grandes tables de dix ou vingt convives; on prend le thé à la *Paris*, seule confiserie où il soit séant de se montrer le samedi; on va aux trois cinémas dits « de Société »; ou encore, si c'est le printemps, au *Tigre*, après la messe aux Récollets, pour déjeuner sur des canots d'acajou qui circulent entre des îles pleines d'arbres fruitiers en fleurs (yacht clubs, odeurs de mazout, échappements libres, cris des sirènes, vagues, vitesse); ou aux Concerts de la *Wagnérienne*, ou aux matinées de la Comédie-Française, à l'*Odéon* et au *Maïpo;* ou, le neuf juillet, jour de la fête nationale, début de la saison d'hiver, au théâtre Colon pour entendre Lily Pons, la plus grande chan-

teuse du monde d'après les Américains,
Lily Pons, Française célèbre partout et
presque inconnue en France.

Le Colon, théâtre de Wagner et de
Verdi, est plus encore le théâtre de toutes
les unions argentines, corbeille de fian-
cées et d'aspirants, matrimoniale foire aux
cœurs à prendre, grand *rodeo* annuel,
échanges de regards, trocs de serments,
lassos lancés sur les bons partis, sur les
novios de grand élevage, aux sons des
trilles de *Lucia*; ardentes promesses de
milliers d'enfants à venir, de futurs membres du Jockey, d'estancieros en puissance ou de petits joueurs de polo vir-
tuels; tout cela se prépare au fond des
loges, tandis que Schipa tient son ut de
poitrine, son *do de pecho*.

Je ne fais à Buenos-Aires qu'un re-
proche, c'est de m'avoir fait négliger
l'Argentine; les Argentins gardent, grâce
à leurs domaines, le contact avec la nature, les animaux, les fruits, les saisons;
mais l'étranger s'endort dans les délices

urbaines, dont les moindres ne sont pas les adorables Argentines, tellement « sirènes », comme dit Alfonso Reyes, plus belles encore que les autres beautés américaines parce que leur éclat se rehausse de modestie latine. Je confesse que j'ai pour elles les yeux admiratifs d'un Stendhal pour les grandes Milanaises, d'un Balzac pour les Polonaises, ou d'un Horace Walpole pour les Parisiennes sous Louis XV. J'aime la réserve des dames *porteñas*, l'attention passionnée qu'elles portent aux choses de l'esprit, leur vie sans distractions, souvent secrète et recluse comme celle des « désenchantées » d'Orient, leur volontaire effacement devant l'homme, leur effarouchement ravi quand on leur propose d'aller bavarder seul avec elles à l'heure du thé, leur goût pour la politique, le golf et Paul Valéry, le dessin des robes sur des corps qu'elles ont su corriger de tous les défauts physiques des races méditerranéennes, leurs timides essais d'émancipation, à Mar del

Plata ou sur les plages urugayennes, la
mélancolie de leurs longs étés fiévreux
sous les eucalyptus des estancias, leurs
infinies lectures, qui jamais ne les intoxi-
quent ni n'entament leur simplicité et
leur traditionnelle sagesse; qui sera leur
Ibsen, leur Henry James, leur Bour-
get?

Pendant le mois que je passai à Buenos-Aires, il m'arriva souvent d'obéir à
la seule tentation d'évasion que m'offrait
la capitale, et d'aller au Zoo. Ce Jardin
d'acclimatation était mon premier contact avec la vie libre et large de l'arrière-
pays. J'y liai connaissance avec les loups
de prairie au rire charmant, aux petites
dents aiguës sous le nez plissé; avec les
lièvres de Patagonie, à grosse tête idiote,
debout sur leurs pattes de derrière comme
des kangourous; avec les lamas au cou si
mobile qu'ils regardent sans cesse en
arrière, vers les Andes..., avec le chat
d'herbe et le chat des bois, avec ces bêtes
dont chacune est pour nous une surprise :

le tatou, la viscache, le pécari, le tapir;
avec le puma, totem favori de l'Amérique
du Sud, animal sacré; j'aimais relire les
pages merveilleuses du *Naturaliste dans la
Pampa*, où Hudson définit la « situation »
le *social standing* du puma, avec ces mots
si nobles qu'ont les Anglais pour parler
des bêtes qu'ils savent élever jusqu'à la
dignité de l'homme et, plus haut encore,
jusqu'à la condition de sujet de la Couronne britannique. Et c'est au Zoo que
je voudrais retourner, parmi les flamants
aux ailes corail où roulent des gouttes
d'eau, au ventre rouge sombre de sang
caillé et qui réussissent en plein jour leurs
effets de coucher de soleil; j'y voudrais
retourner quand viendra novembre avec
ses tristesses, non pas grises comme celles
de notre novembre, mais tout aussi mélan-
coliques, car c'est l'été platéen, novembre
où Buenos-Aires assoupie, le foie lourd,
poursuit ses mauvais rêves de sieste en
attendant les chaleurs de décembre, lorsque les grandes maisons sont fermées et

que la Société est partie vers les plages
grouillantes de crabes.

TRAVERSÉE DE LA PAMPA

J'ai derrière moi de longues heures de
pampa herbue, monotone ligne droite à
travers la luzerne que ride à peine le
vent, course sans incidents topographi-
ques sur une terre sans pierres, car toutes
les pierres de l'Amérique ont servi à
bâtir les Andes. Avant la grande tempête pétrifiée, c'est la platitude merveilleuse de ces champs où la roue des élé-
vateurs à eau apparaît au-dessus du
bouquet d'acacias et d'eucalyptus; eucalyptus si charmants avec leurs fruits en
boutons d'habit, répandus à terre comme
ceux d'un collégien qui a grandi trop
vite et a fait tout craquer; eucalyptus gla-
bres dont la vue ne satisfait pas, car

on les sait peu propres à leur rôle d'écran,
privés de racines profondes, arrachés au
moindre ouragan... Les prairies du ciel
regardent les prairies de la terre; elles
aussi alignent de grands nuages noirs
labourés, des mares bleues et des rayons
de soleil luisants comme des fils télégra-
phiques. Labours infinis de cette Flandre
australe, aux sillons maladroits s'avançant en zigzags. De Buenos-Aires à Mendoza, pas un mur, pas un tertre; sol sans
os, calmaté d'"immigrations successives,
qui se sont peu à peu solidifiées. Nous
avancions dans le vent, contre ce *pampero*
du Sud à cause duquel, dit Darwin,
aucun arbre n'aime la pampa. Masse sans
profondeur, mer sans marées. Tristesse
de ces quelques arbres à feuillage retom-
bant, glycines, saules, et ces curieux et
innombrables arbustes qui ressemblent à
la ganse, à la « chenille » d'ameublement.
La route, de la même couleur que la
terre, me rappelait les grands chemins de
Pologne, de Roumanie, de Russie, cloa-

ques l'hiver, pistes l'été. Parfois, çà et là,
des hommes s'assemblaient autour des
remates, des ventes aux enchères, et les
petits veaux affolés s'échappaient en bous-
culant les acheteurs; ou encore des jeunes
gens assistaient à cheval à un match de
football autour d'une herbe usée par les
shoots, et se dressaient debout sur leurs
étriers de bois, lorsqu'un but était marqué. Sur le bord de la « carrière », — car
ce mot a gardé ici son sens primitif, —
gisaient les carcasses des bêtes mortes;
ces os abandonnés, seuls repères dans
l'infini, donnaient au paysage sa juste
échelle.

« Il est impossible de photographier la
pampa » a écrit quelque part Vittoria
Ocampo; comment faire tenir en deux
dimensions tant de poésie? Et pourtant
j'ai photographié la pampa, à ras de sol,
à travers la cage ajourée d'un squelette de
bœuf se découpant en blanc cru sur la
terre noire, et enfoncé sur le ciel; et mieux
que les complaintes de Tucuman, mieux

que le bruit mat du galop, mieux que
la charge des joueurs de polo — métopes
d'Hurlingham, — mieux que le charmant
petit musée de Lujan, avec ses diligences
antiques, ses malles en cuir de poulain,
ses fenêtres dont les carreaux sont en
peau de vache, cette photographie me
rappellera à jamais la pampa. La pampa,
c'est le taureau orgueilleux de son pedigree anglais qui remonte parfois au
XVIIIᵉ siècle, fier comme un évêque en
tournée; taureau du Jockey Club, taureau des salons, taureau aux sabots dorés,
taureau plus médaillé qu'un champion
de lutte, plus coûteux qu'un bon arrière
de football amateur, taureau de classe
internationale. C'est aussi la déesse-vache,
Hathor argentine qu'on rencontre toute
seule, au soir tombant, dans son camion
automobile, arcboutée sur ses pattes, un
nœud de ruban au cou remplaçant la
chaîne ou le licol; *aryshires* tachetées,
shorthorns ou vaches du *Suffolk; jer-
syaises* aux pis gonflés, *devon* rouges et

lourdes, *welshes* à tête plate ; cornes droites
ou écartées, basses ou hautes. Aristocra-
tie frisée, élite de la glèbe, classe privilé-
giée, exempte du joug, quadrupèdes aux
mérites primés. Dans la pampa, les vaches
sont des dames et le bœuf ne travaille
pas ; (notre bœuf prolétaire y est inconnu) ;
au bétail argentin la meilleure nourriture,
de plus en plus fraîche, abondante et par-
fumée, à mesure que l'heure du boucher
approche.

HEURES D'ESTANCIA

Aux frontières de la république platéenne s'étend cette mésopotamie uru-
gayenne, cette *bande orientale*, comme
l'appelait Hudson, au temps où les Blancs
ne tenaient que la côte et chassaient
l'autruche à cheval avec des balles de
cuir, au lancer. J'y cherche mon chemin

dans un océan de trèfle jusqu'à la région
sans fil de fer où règne encore l'ancien
cow-boy, le *gaucho;* ailleurs, le barbelé
a rendu inutile le *gaucho*, car point n'est
besoin aujourd'hui de rassembler le bétail répandu dans l'immensité herbeuse,
de le choisir d'un coup d'œil, puisque partout il est sélectionné artificiellement,
méthodiquement parqué, scientifiquement
tondu, trait, douché, massé et parfumé
électriquement. Ce coin de pampa héroïque que j'ai découvert, se trouve non loin
des grandes plages urugayennes où les
chevaux de course, pareils à des pénitents
dans leurs cagoules jaunes ou rouges, prennent des bains fortifiants avant les grandes épreuves du printemps. Là, on m'a
enseigné à regarder les troupeaux avec
l'œil des marchands, à distinguer la qualité
de la viande sous la peau, à différencier
les bêtes de trois à quatre ans des vieilles
vaches sans lait ou des taureaux sans
sex-appeal, qui s'en iront bientôt à la ville
faire de la conserve ou du jus de viande.

Là, j'ai su que la mort suivait la vogue,
car la table impose sa mode, à la boucherie;
en voyant tomber des milliers de petits
veaux, j'ai appris que désormais l'Anglais
décadent préfère au roatsbeef la chair
blanche... La nuit, par les fenêtres ouvertes, montait une odeur de bouse et
d'étable et j'étais réveillé dès l'aube par
le bruit si léger, à peine appuyé, que font
dans la boue les sabots des bœufs lourds
d'une tonne; dans le petit jour d'hiver
je voyais sortir du village, en route pour
l'abattoir, les têtes blanches des *hereford*,
les têtes brunes des *sussex*.

J'habitais au centre d'une plaine allu-
vionnaire, récemment gagnée sur un des
lits du fleuve, une estancia confortable,
carrée, sans style, abritée par un bouquet
d'eucalyptus dont l'odeur balsamique attirait les abeilles. Le treillage métallique
contre les moustiques assombrissait ma
chambre, mais la lumière ne manquait pas
car des fenêtres s'ouvraient partout. Le
soleil se levait sur des portraits de famille

Second Empire et se couchait sur de
grands plats d'étain aux armoiries gravées,
sur une collection de bols à maté ornés
d'argent ciselé. De mon lit, fait d'une
seule peau de porc, et dont les pieds
étaient en cornes de taureaux, je voyais
à gauche, le *corral* rond où sont parquées
les bêtes, à droite, les toits bas de l'étable.
Ferme féodale, isolée, vendant aux villes
lait, beurre et œufs, mais ne lui achetant
rien et ne lui devant rien. Dès l'aube,
les *gauchos* se dispersaient dans les pâtis,
et je n'entendais plus aucun bruit jusqu'au soir. Si les hommes riaient, par-
laient haut au milieu du jour, c'est que
c'était un de ces jours de fête où l'on
mange la vache rôtie dans son cuir, ou
qu'une cérémonie rituelle, comme la
marque ou le dressage, les avait réunis.
Ces jours-là, les *gauchos* portaient leur
costume des dimanches; ils faisaient sonner leurs éperons à mollettes d'argent,
larges comme des écus, tout pareils à
ceux que portent les mannequins de con-

quistadores dans les musées coloniaux;
leurs fouets à manche d'argent claquaient;
un tablier de cuir fauve, à franges, proté-
geait leur cuisse gauche où s'enroulait le
lasso; relevé à droite, il découvrait la cu-
lotte noire bouffante brodée de fleurs
vertes et mauves; sous la ceinture, derrière les reins, dans une gaine de cuir
s'enfonçait le coutelas. Autour du cou,
un foulard de soie blanche; sous le chapeau mou, très sale, à la coiffe trempée
de sueur, retenu sous le menton mal rasé
par un élastique, passait le ruban à l'indienne, cernant le front.

Le jour de la marque, les *gauchos* se
tenaient à l'entrée de l'enceinte en fil de
fer, le surveillant, debout sur ses étriers,
les autres à terre, portant leur selle noire,
cloutée de cuivre, sur le bras ou sur la
tête; du doigt, le chef désignait les jeunes
chevaux destinés au fer chaud. A l'intérieur du *corral*, trois ou quatre valets de
ferme placés en trapèze, visibles entre
deux nuages de poussière et que le trou-

peau des bêtes épouvantées entourait d'un
galop circulaire, faisaient tournoyer leur
lasso. Le poulain qu'ils cherchaient à
atteindre courait, les naseaux ouverts,
l'œil plein de terreur ; il galopait si haut
que, lancée au ras de terre, la courroie
sifflante n'arrivait pas à le saisir aux
jambes. C'est qu'il ne fallait pas l'étrangler, comme on fait d'un cheval sauvage
qu'on veut enfourcher, mais simplement
le faire culbuter; les nœuds coulants s'al-
longeaient, ovales, se refermaient sous les
sabots, en vain...

Mon œil, de plus en plus exercé, suit
maintenant la course du lasso. Voici enfin
le cheval entravé à la hauteur des patu-
rons, engagé d'un seul coup par les deux
genoux; c'est un vieux *gaucho* qui lui a
placé ça; l'homme serre, s'arcboute, le
poulain perd l'équilibre et, les quatre
fers en l'air, tombe lourdement sur le
dos, le crâne sonnant dur dans l'herbe.
Aussitôt les « agrégés » se précipi-
tent; l'un maintient l'arrière-main entre

ses jambes, l'autre aplatit la tête si près
du sol qu'on voit le souffle hors des naseaux soulever des jets de poussière; c'est
le moment : de leurs mains gantées les
hommes appellent le camarade qui, hors
de l'enceinte, fait rougir au feu la marque
au bout d'une tige de fer; il la passe à travers le barbelé; je vois fumer la cuisse,
dont les poils grésillent... L'opération
terminée, le chef tire son machete à
manche d'argent et courtaude l'animal,
lui coupe l'extrémité de la queue, en signe
qu'il a été marqué; on le lâche, il se
relève en flageolant, esquisse des quintes,
puis l'œil plein de larmes, le poil planté,
fou de peur, il court rejoindre le troupeau réfugié autour du seul arbre de
l'enclos.

D'autres fois, il faut monter un cheval
rétif ou non encore dressé. Le « réservé »
galope au centre du troupeau, robe couleur de loup, crinière noire rougie par
le grand air; le chef entre comme un
Templier dans le corral et tente à grands

gestes équestres, d'isoler son sujet. Les
gauchos à pied, groupés autour de lui,
comme au temps des varlets ou des damoi-
seaux, font courir le lasso sur les dos nus
des bêtes trempées de sueur; enfin on
réussit à passer un lasso, l'homme serre,
se jette à terre, les jambes écartées, le
talon enfoncé dans le sol pour faire bé-
quille; ses camarades viennent à la res-
cousse, à trois, à quatre; de toutes leurs
forces ils tirent...; pour se défendre, le
cheval allonge le cou, mais le voici étran-
glé et la lanière pénètre dans la chair :
il s'arrête immobile, tremblant des gigots.
Alors, l'un derrière l'autre, en file indienne, les quatre hommes s'avancent,
si serrés qu'ils n'en font plus qu'un;
pas de mouvement brusque; ils s'approchent à petits pas, comme si le cheval
était une bombe et allait éclater. Le premier tend le bras et avec un geste d'hyp-
notiseur passe doucement sa main ouverte
sur le front marqué d'une étoile herminée;
les autres en profitent pour passer le licol

à deux longes et pour détacher le lasso.
Les deux rubans de toile se déroulent
maintenant en V; chacun hâle de toutes
ses forces; enfin on réussit à faire sortir
le récalcitrant par la barrière grande
ouverte. Là, le *gaucho* qui doit le monter
l'aborde avec des précautions infinies; en
boitillant (« triste chose qu'un gaucho à
pied »), il lui met d'abord une couverture,
puis soulève à deux bras la lourde selle
et, embarrassé de son tablier de cuir, de
ses éperons énormes, de son poncho qui
lui tombe des reins, des peaux de mouton qui glissent, se prépare à sangler sa
monture. On voit la robe du cheval frissonner; son œil est rouge; ses jambes de
devant s'ouvrent en équerre; il détache
des ruades. Le *gaucho* serre de plus en
plus fort jusqu'à ce que la sangle s'enfonce
dans le ventre bombé; puis encore une
peau de mouton par-dessus la selle; puis
le mors; alors l'homme met le pied à
l'étrier très court; il n'a pas eu le temps
d'enfoncer le second jusqu'au talon que

déjà la bête a bondi; il lui tient de la main droite la tête basse, tandis que de la gauche il la frappe à coups redoublés d'une large lanière de cuir à l'épaule et la croupe en poussant des cris. Le cheval s'arme pour ne pas obéir, s'élance.... De ses cuisses de fer, de ses molettes acérées, des reins, des genoux, le cavalier se maintient, colle au rueur; que ce dernier choppe, ou bronche, ou lutte, ou fasse le saut de mouton, le corps souple suit chaque écart redresse chaque dérobade. Alors le cheval fonce comme un fou jusque sous mes fenêtres. On dirait qu'il va s'écraser contre le mur, mais à droite et à gauche deux autres *gauchos* s'élancent, le remontent, le serrent de près, l'encadrent. Je les vois tous trois partir à bride abattue, disparaître dans un pli de terrain, émerger; un *gaucho* se met devant, tandis que l'autre se place par derrière, en travers, l'animal, tout à fait enfermé finit par s'arrêter; ses flancs sont rouges et sa bouche écumante; le dresseur met

pied à terre; ses bottes souples en peau
de poulain ruissellent de sang; sa tête de
gros moine est trempée de sueur; il rit,
tous rient, détendus, satisfaits, criant :
Ollé! Encore un cheval de dompté; il y a
dans le monde un esclave de plus...

PREMIER TOMBEAU AMÉRICAIN

Mes promenades me conduisaient souvent jusqu'aux premières maisons, dis-
tantes d'environ trois lieues, où habitaient
des Basques. Dans un champ, je remar-
quai un monticule isolé qui me rappela
ces tombeaux des races errantes qu'on
trouve en Asie et jusqu'aux bords de la
Mer Noire, en Dobrudja; au sommet, un
crâne de cheval, fiché au bout d'une gaule,
faisait une tache blanche dans la terre
meuble et achevait de donner à la steppe
je ne sais quel aspect tartare. C'était bien

une tombe, celle d'un vieux qui, des
années, avait vécu à l'écart, paralysé,
muet, et qui était mort six mois plus tôt.
Il était sorcier et sourcier; de sorte que
personne, même le vicaire, ne s'était
opposé à ce qu'on l'enterrât là. Il ne faisait
pas partie des *euskal-echea*, des sociétés
d'entr'aide du Guipuzcoa, de Navarre ou
des Basses-Pyrénées. Il était mort à
soixante ans passés. Les anciens se rappe-
laient l'avoir vu débarquer un jour à
Montevideo, vers la fin du siècle dernier,
descendu du paquebot de Bordeaux, sa
veste sur l'épaule, son béret en visière, ses
espadrilles de rechange pendues au cou
par un lacet; il avait été débardeur, laitier,
sandalier. « Mais après tout, les Unzue,
les Uriburu, les Irigoyen, n'ont pas commencé autrement ». N'ayant pas fait for-
tune, l'homme était venu s'installer par
ici; lorsqu'il eut goûté au lasso, la vie des
ports, le gagne-petit de l'almacen le dé-
goûtèrent et il ne voulut plus retourner
à la côte. Il aimait les *gauchos* (il y a dans

le sang basque quelque chose de très
antique, de fuyant, de rusé, d'inassimi-
lable, qui rappelle le sang indien). Ses
longs bras de patte-pelu avaient dû jadis
en faire un bon joueur de pelote; son front
avançait sur ses yeux de plus en plus
enfoncés sous les sourcils, comme les
vieux balcons de bois de Fontarabie font
saillie dans le mur. On savait qu'il avait
passé bien des nuits dans sa jeunesse sur
la Bidassoa, à transporter, au fond des
barques sans fanal, de la soie et du tabac
dissimulés sous la fougère; peut-être
avait-il été obligé de quitter le pays après
un coup dur? Peut-être aussi déserteur
ou insoumis? La prairie, autrefois, c'était
comme la Légion Etrangère : personne
ne se permettant d'être curieux. Quand
les camarades évoquaient devant lui la
terre basque, le jeu de boules sous les
platanes, le gave, les sérénades aux guitares de la Saint-Sylvestre, tout ce qui fait
qu'on désire s'en retourner mourir près
des vieux, l'homme haussait les épaules

et bourrait de tabac noir son long nez...
Il ne parlait jamais de la France, ni de
l'Europe; devant lui, il fut une fois ques-
tion de la guerre; il demanda qui se bat-
tait; quand il apprit que c'étaient les
Anglais, les Français, les Italiens, les
Allemands... il fit une grimace de dégoût
et il répondit en biscayen : « Rien que
des *gringos*, quoi... » (rien que des métèques).

Jamais on ne le vit boire à la *pulperia*
du cidre doux avec les autres, les soirs
de fandango; il détestait toutes les
femmes, depuis la patronne du village,
la Vierge des Angoisses, jusqu'aux petites
gardeuses de cochons. Il mourut sans
avouer ses péchés. Son nom? Qu'im-
porte un nom dans la pampa?... Il était
natif d'Etchézar, en France, et s'appelait
Ramuntcho.

VERS LES ANDES

De tous côtés, le ciel roule des orages
de printemps, les Andes envoient à ma
rencontre leur odeur de neige. Derrière
moi, les giboulées verticales, des cascades
de grêle ferment l'horizon, pareilles à
des courtines de velours noir, comme dans
ce *gato* :

> *De terciopelo negro*
> *tengo cortinas*
> *para eulutar mi cama*
> *si tu me olvidas*
> *Veni, veni, volando...*

> De velours noir
> j'ai des rideaux
> pour endeuiller mon lit
> si tu m'oublies...
> Viens, viens, cours, vole...

D'où je suis, je crois voir l'Amérique
du Sud toute entière aplatie en son im-

mensité horizontale. « Pays infini », dit
Montaigne; « Mac Meld, pays de l'éternité », disait le folklore irlandais, deux
siècles avant le voyage de Colomb. Il
me semble l'avoir sous mes yeux comme
dans les planisphères, entourée d'océans
dont les courants, — ces fleuves de la
mer —, dessinent au large des côtes de
sombres écharpes. J'embrasse d'un coup
son relief orographique, les terres noyées
du Brésil, la peau ombrée des hauts plateaux, le soulèvement du Chaco, jusqu'aux montagnes crispées dans leur effort
d'altitude. Les Andes sont sa colonne vertébrale, la Terre de Feu son coccyx, arc
osseux perforé d'un bout à l'autre par le
canal rachidien des entre-vallées, coupé
par le tissu élastique des lacs qui viennent
sectionner parfois ce rigide édifice de
vertèbres empilées. Corps de l'Amérique
Sud, organisme complet dont les Ama-
zones, dilatées comme une poitrine, sont
les poumons, l'Argentine l'œsophage, la
Plata le tube digestif, les fleuves les

artères, avec des villes pendues aux con-
fluents comme des glandes.

Par-dessus moi, tout est verdâtre, les
bords de l'horizon, le soleil, puis les
étoiles; par contraste, la luzerne paraît
noire. Près des fleuves sans pente, de
chaque côté de la rivière d'argent platéenne, la terre imprégnée d'humidité
prend des tons tendres de salades, réveille les couleurs de ses sainfoins gras,
« tapis botanique », comme écrit Ortega.
Pampa, c'est-à-dire : pays ouvert. Pendant des heures, je traverse des herbages,
mes yeux ruminent cet océan onduleux
de fourrage, épanchement si monotone
que j'ai envie de sauter par-dessus bord,
comme en mer, après quinze jours de
traversée. Il n'y a même plus de fleuve;
l'eau est désormais invisible; rien que le
bras en levier des puits entourés de tama-
rins qui plient sous le vent sans frein.
Aucune appréciation possible des distances, toutes les mesures sont faussées,
tous les mirages admis.

Parfois les villages, les *pueblos*, détachent vers nous un avant-poste; un rancho, une ferme, un enclos de bêtes à cornes, une porcherie viennent patrouiller le long de la voie ferrée, mais c'est une rare aubaine. Le maïs naissant nous circonvient, le blé de printemps pareil à du chiendent nous cerne de toutes parts, ou bien les chardons des champs en jachère, semblables aux chardons de fer auxquels se plut la virtuosité des forgerons de la Renaissance hispanique. La pampa est verte à l'infini, comme le Pôle est blanc. Verte à jamais. En ce moment et pour quelques jours elle fleurit par places, — fleurs roses ou mauves, de tons éphémères et délicats —, et ressemble aux plaines de Syrie, d'Andalousie, de Perse, de la Moulouya marocaine. Aux bifurcations attendent des wagons à claire-voie sous la surveillance du gros œil atone d'un réservoir... Mendoza se signale enfin par des vignes, des lotissements, des avoines, de la terre

à mille francs l'hectare, des offres de
crédits hypothécaires, sur panneaux de
bois. Adieu, rêve de géométrie plane
avant les vertiges de l'altitude. Adieu,
prairie herbue, *llanos* que célèbrent à
l'envie les guitares tristes et les vers de
Supervielle :

Je fais corps avec la pampa qui ne connaît
                    [pas la mythologie,
Je m'enfonce dans la plaine qui n'a pas d'his-
                                    [toire
et tend de tous côtés sa peau dure de vache qui
                    [a couché dehors.

Jour de lumière admirable. Il doit
faire beau partout sur la terre et ce
bleu nacré dans lequel je baigne doit
s'étendre à l'autre hémisphère; ici, bleu
de printemps, là-bas bleu d'automne;
ici, bleu de jour et là-bas, bleu de
nuit.

Je quitte les murs de boue de Mendoza que chaque tremblement de terre
ébranle et lézarde, faisant chavirer les

pressoirs à vin comme dans une ivresse
géante, je m'élance par-dessus cette ride
immense tantôt simple, tantôt double,
tantôt décuplée, qui barre le front du
continent. Par-dessus les talus des Andes,

Par delà l'escalier des raides Cordillères
Par delà les brouillards hantés des aigles noirs,
Plus haut que les sommets...

Il faut enjamber le mur préhistorique à l'échelle de ces glyptodons et de
ces mégathériums dont on retrouve les
dents, éparses comme des graines, dans
les laves durcies, — fils de taupes plus
géantes encore, qui soulevèrent ces montagnes. Caucase, Rockies, Alpes, vous
n'avez pas l'aspect surhumain, la cris-
pation continue de cette sierra brune,
de ce roux paysage. Cette prodigieuse
poussée, cet élan de la matière solidi-
fiée soudain en pleine colère, arrêtée
dans son bouleversement, n'a su garder
de tendre que ses couleurs : le rose bon-
bon de sa neige léchée par le couchant,

les tons amortis de ses gris précipices,
les nuances fines, bleu ardoisé, des cendres froides, les lointains lilas, la pourpre
de ses porphyres striés de pistaches.
La fraîcheur comestible du trèfle de
la prairie a fait place à cette herbe jaune
qui est à la terre ce que les cheveux
blancs sont à l'homme. Effort végétal
bientôt arrêté, après un timide assaut
contre les larges bases de l'édifice qui
maintenant appartient tout entier à sa
sublime sécheresse. « Terre, bonne architecture », comme dit Shakespeare. Si vraiment la pampa, où le chemin de fer
trace aujourd'hui sa ligne tendue comme
la corde de guitare, fut autrefois le lit de
l'Océan Atlantique, alors les Andes ont
su élever jusqu'au ciel les profondeurs
de la mer. Darwin, le premier, découvrit
des coquillages sous leurs neiges éter-
nelles. Ainsi les Andes montèrent comme
un décor guindé, emmenant avec elles,
jusque dans l'éther, l'escarpement des
falaises faites de rochers projetés par les

cratères sous-marins, le mouvement des
vagues, le courroux des surfaces et le
silence des fosses marines. Ces piliers
andins furent une fois ceux du palais
de Neptune et les poissons s'y cachaient.
Ces débris de rocs que le vent entaille
plus facilement que le couteau n'entaille
le bifteck de la vache fraîchement tuée,
avant d'apparaître dans le ciel comme des
cathédrales exhaussées, furent des écueils,
des bas-fonds, des cathédrales englou-
ties; le flux et le reflux les sculptaient,
comme aujourd'hui le soleil et le gel
les dilatent et les glacent tour à tour.
Sous le Pacifique, dont les Andes sont
sorties, la déclivité continue, comme
l'image renversée et profonde des sommets. A chaque crête correspond un
abîme, à chaque condor un requin. Et
si, derrière les brumes d'extrême Sud,
les montagnes épanchent leur glace dans
l'océan, l'océan a abandonné ici son sel
à cinq mille mètres d'altitude. Les Andes
ont tout brisé, tout disjoint, tout séparé :

la sécheresse et la pluie, les nations,
les races, tout, sauf la langue espagnole
et l'implacable vouloir des capitaines de
Charles-Quint. Par la *cumbre* que domine
le crucifix, au-dessus de précipices plus
étroits que la Cinquième Avenue vue
du Haut de l'Empire State Building,
par le col sud, au pied de l'Aconcagua,
géant de sept mille mètres qui se moque
du drapeau des nations et des pauvres
petits postes frontières; à travers le paysage de roches noircies comme des pierres de bivouac et rayées de névés, nous
redescendîmes avant la nuit. Ce facile
voyage ne rappelait en rien les drames
du « *bon* vieux temps », (pourquoi « bon »,
comme l'autre disait de Dieu), convois
gelés, tempêtes de neige, vols de mules,
attaques d'Indiens, froid mortel succé-
dant aux heures d'insolation, ensevelis-
sement dans les gorges de cendre durcie, sous la morsure des vents. Ce fut
d'abord un paysage de cactus turgides,
défendus par des cornes et des ergots,

puis des terrasses d'orangers, des aman-
diers en fleurs, — quelque chose comme
la descente de Grenoble à la place Mas-
séna, au temps du Carnaval. Ainsi nous
fûmes amenés sans à-coups au centre
de cette plaine de granit pilé qui s'abaisse
vers le rivage. Dans un air plus pur
que celui du Soudan et de l'Egypte,
les montagnes roulaient à la mer et
nous fûmes portés avec elles, d'un même
mouvement, jusqu'au grand cirque où
s'abrite Santiago.

AVIONS

Deux lignes d'avions parcourent chaque semaine ces solitudes : une ligne
américaine, et, pour le courrier d'Europe, la ligne française de l'Aéropostale, qui ne prend pas de voyageurs.

Il faut rendre à l'Aéropostale l'hom-

mage qu'elle mérite. Avec des capitaux
qui, en France, paraissent considérables,
mais qui à l'échelle du Nouveau Monde
sont minimes, avec des moyens réduits,
avec un matériel ne répondant pas
aux nécessités actuelles, mais avec une
direction courageuse, audacieuse, avec
des pilotes admirables, elle arriva la première en Amérique du Sud pour un
travail immense et neuf. (Ce n'est pas
sa faute si notre aviation a dix ans de
retard sur l'aviation américaine). L'esprit qui anime ses aviateurs est resté
celui des escadrilles de guerre : esprit
de sacrifice magnifique et qui rend plus
coupable encore la négligence de nos
bureaux de l'Air, lesquels comptent, —
comme toujours en France, — sur le
débrouillage d'autrui et sur l'héroïsme
humain pour compenser les erreurs d'une
administration négative et routinière.
L'amiral anglais W. disait un jour devant
moi : « En France, vous avez le meilleur
personnel naviguant du monde et un

des plus mauvais matériels, et votre mauvais matériel n'a de cesse qu'il n'ait tué votre bon personnel ». Mais les voyageurs de 1932 ne se soucient pas de courir les dangers de Guynemer et de Garros... A l'heure où j'écris, des appareils qui n'ont encore qu'un seul moteur, qui passent parfois par des écarts de température de — 50° à + 50°, ne possèdent que le refroidissement à eau et ne sont pas dotés de moteurs suralimentés si utiles dans cet air raréfié, risquent l'accident à chaque voyage. On sait le sort qui attend les aviateurs de l'Aéropostale en panne dans le Rio-de-Oro dissident. Sait-on ce que leur réserve l'autre côté de l'Atlantique? Une redoutable région de brumes, à San Sebastian (où s'est accroché dernièrement le paquebot américain *Western World*), à Santos, toute l'année, les pluies torrentielles, — pluies si drues que les hélices de bois s'usent en un voyage — et, de Paranagua à Rio Grande

do Sul, les brouillards les plus denses
du monde, au travers desquels il faut
voler à cent soixante-dix à l'heure entre
les pics invisibles; souvent, l'atterrissage
dans l'obscurité, sur des plages étroites;
enfin, avec un seul moteur et sans flotteurs, cent vingt-cinq kilomètres parcourus de nuit, *en pleine mer*... (Cher
Boucheix, qui m'aviez accueilli de façon
si charmante cet automne en Bolivie
où vous étiez chargé d'affaires, et qui
vous réjouissiez tellement de partir en
congé, pour la France, c'est là aussi que
vous venez de vous abîmer dans les
flots, avec vos compagnons d'infortune).

Connaît-on les pilotes qui osent quo-
tidiennement cela? Les noms de Mermoz, de Saint-Exupéry sont populaires;
mais il y en a d'autres. En 1929, contre
une tempête qui à Buenos-Aires rompt
toutes les amarres, fait s'entre-choquer
les vapeurs à l'ancre au fond du port
et envoie au large le *Lutetia*, Mermoz
arrive à l'heure dite à Rio. Mieux encore :

Mermoz s'élance à la conquête des Andes, s'efforce de monter à cinq mille
mètres avec un appareil qui plafonne
à quatre mille cinq cents, ne comptant
que sur sa chance, sur sa science, espé-
rant utiliser les courants ascendants pour
parfaire une hauteur que son moteur
ne peut lui donner. De ses roues il frôle
les sommets à vingt mètres : le premier
coup de vent le plaque dans la neige,
démolit son train d'atterrissage. Ni radio,
ni vivres; Mermoz et son mécanicien,
par un froid de vingt degrés, passent
trois nuits à réparer avec du fil de fer;
le quatrième jour ils mettent huit heures
à rouler leur avion au haut d'une pente
de sept cents mètres et, après des efforts
inouïs, se jettent dans le vide, se pré-
cipitent volontairement dans une crevasse, se relèvent, réussissent à ne pas
s'écraser sur la paroi adverse, roulent
à nouveau de l'autre côté, touchent des
roues en trois points repérés d'avance
et se laissent ainsi descendre... jusqu'à

Buenos-Aires où l'on disait déjà des
messes pour le repos de leur âme.
C'est là une des plus belles prouesses
de l'aviation. En 1930, Barbier se spé-
cialise dans les vols de nuit de Buenos-
Aires à Rio. Depecker, sur la ligne Argen-
tine-Chili sauve par son sang-froid tous
les passagers de son avion en feu; Reine,
après ses aventures chez les Maures,
établit seul la liaison avec le Paraguay.
Colin-Jeannel, ancien avocat, aujourd'hui
chef de nos services d'Amérique du Sud,
effectue par les jungles de Colombie,
de l'Equateur et du Venezuela, un raid
de reconnaissance que seul Lindbergh
avait en partie réussi mais en un temps
moins bon. Mermoz, toujours en 1930,
pilote au-dessus des Andes le comte de
La Vaulx; forcé d'atterrir en pleine montagne, près d'un précipice, et sachant
que son passager, encore éclopé à la
suite d'un accident récent, ne pourra
sauter en voltige, il se jette sous les
roues de son appareil, fait cale avec

son corps et se brise deux côtes... Henri
Guillaumet, surpris, il y a deux ans,
au-dessus des crêtes chiliennes par une
tempête de neige, cherche en vain un
trou dans les nuages; il tourne jusqu'à
épuisement d'essence, capote dans une
région absolument déserte, la Laguna
Diamante, à quatre-vingts heures de marche de tout village, choit dans les ravins,
se traîne dans les avalanches, creuse
un abri dans la neige avec la porte de
l'avion pour bêche, perd son sac de
vivres, ses chaussures, enveloppe ses pieds
gelés dans des morceaux de parachute ;
il reste quatre jours et quatre nuits
sans dormir, égare ses effets, marche
dans l'obscurité avec sa lampe de poche,
la casse et s'écroule épuisé, décidé à
ne plus se relever; soudain, il pense à
sa femme, à l'assurance qui ne paiera
pas la prime si son corps n'est pas
retrouvé; il rassemble alors ses dernières
forces pour se hisser sur un roc et mourir le plus en vue possible; de là-haut

il aperçoit une cabane d'Indiens; il s'y
traîne; une Indienne voit arriver à quatre pattes, broutant l'herbe, cet être in-
forme, s'enfuit; d'autres montagnards
le recueillent; il est sauvé.

La méthode des Américains du Nord
est à l'opposé de la nôtre. Pas de hauts
faits. Des avions métalliques, trimoteurs
doués d'un excédent de puissance tel
qu'il permet d'enlever jusqu'à vingt-quatre mille pieds une vingtaine de personnes, avec bagages et sacs postaux. Quand
le temps est mauvais, pas de départs.
Pour survoler la mer et les fleuves, on
utilise des hydravions légers et des amphibies. « Nos services d'aéronautique,
me dit-on, préoccupés surtout de la résis-
tance des coques, ne croient pas à l'amphibie ». *Safety first*, sécurité d'abord :
donc, le plus grand respect de la vie des
voyageurs, et aussi par surcroît le con-
fort des meilleurs trains. Aucune perte
en hommes, et jamais un retard depuis
plus de deux ans que la ligne est ouverte.

Pour eux, le deux cents à l'heure n'est pas une allure de record, et c'est à cette vitesse commerciale que je vais traverser toute l'Amérique du Sud.

TÉLÉPHONE TRANSATLANTIQUE

Je téléphone de Santiago en France. Un télégramme a convoqué préalablement mon correspondant de Paris. J'arrive un peu avant l'heure. Je regarde les employés disposer de l'univers; ils relient entre eux des pays irréconciliables, font coexister des heures qui ne se sont jamais vues; indifférents à la ligne droite, ils effectuent sous mes regards des zigzags géographiques inouïs. Pour téléphoner du Chili à Java, il faut passer par Berlin et Amsterdam; le circuit d'Australie s'en va d'abord toucher Londres; je puis convoquer en pleine mer ce

paquebot des mers du Sud, appeler cet
autre dans l'Atlantique Nord...

« On va vous donner votre communi-
cation ».

J'entre dans un cabanon capitonné,
matelassé contre on ne sait quel *delirium
tremens;* on referme sur moi une porte
de cinquante centimètres d'épaisseur. Me
voici seul. Un casque d'écoute qui descend du plafond s'adapte à ma tête. Je
suis dans la quatrième dimension, suspendu dans un vide extra-terrestre; je
m'entends respirer. Je colle mes lèvres,
comme il m'est recommandé, à l'embou-
chure d'ébonite; j'ai sous les yeux un
immense cadran à secondes; treize francs
la seconde; il faut mesurer ses propos.
Le monde entier me facilite la tâche;
tous les relais sont à leur poste : Buenos-
Aires, Rio, et, au milieu des requins,
l'Ile San Fernando. Voici maintenant la
patrie... La demoiselle du téléphone chilien est allemande, elle a l'accent pari-
sien; celle de Paris doit être de Toulouse,

elle a l'accent espagnol. Contact. Rumeur
lointaine, comme si la mer entrait; on
décroche; j'entends un pas et me voici
soudain transporté dans ma chambre, à
Paris. Je m'efforce d'affiner mon ouïe
jusqu'à l'impossible; par-dessus les Andes,
par-dessus la pampa, à travers l'Equateur,
sous les abîmes de l'Atlantique, sous les
ancres, les algues, les poissons de couleur,
le son aborde à la vieille Europe. Miracle...
des bords du Pacifique, j'entends soudain, au Champ-de-Mars, miauler mon
chat... Je parle. Des voix abstraites me
répondent. Trois minutes; terminé... Me
voici dans l'Alameda, où le soleil est vertical; au coin des rues, les hauts-parleurs
jouent des tangos; ici il est midi : à Paris,
on allume les lampes. C'est seulement
maintenant, — il est bien temps —, que je
commence à m'éveiller, à sentir l'émotion
que j'eusse dû éprouver lorsque les voix
attendues résonnaient au fond du vieux
Monde; jusqu'à présent, je n'ai employé
que mes réflexes. Les choses sérieuses,

utiles, fines ou sages, celles qu'on met
dans les lettres, me viennent à l'esprit
trop tard : je suis seul dans la rue.

Je me trouve, sans trop savoir comment, sur le plus beau champ de courses
du monde; les fleurs sont heureuses au
Chili, heureuses comme en Angleterre
et en Hollande; et les chevaux heureux
de courir parmi les fleurs, sur un turf
si dense et parfumé; et moi, de les regarder allonger leur train dans ce cadre
britannique et helvétique à la fois, au
centre de ce grand manège austral.

CHILI NORD

[Rien ne ressemble plus à un départ
de diligence qu'un départ pour l'aérodrome : dans le coche automobile s'entassent valises, déjeuner froid, bouteilles,
sacs à main; on attend les voyageurs en

retard; on plaisante, on a le temps; rien
de l'affolement des gares et de la brutalité du chemin de fer; on ramasse en
route le radio, mal réveillé et qui nous a
rattrapés en taxi... Les avions, prêts à
essorer, sont rangés sur l'aire de ciment,
oiseaux éployés, oiseaux héraldiques de
couleurs différentes, — chevronnés de
sinople, becqués de gueules. Le nôtre,
pareil à un paon d'argent qui ferait
trois roues à la fois, les plumes rec-
trices à terre, porte, inscrit sur sa mince
peau de duralumine son cri de guerre :
U. S. Mail. L'aérogare de Santiago
est la plus spacieuse que j'ai vue, abritée par un cercle de montagnes à triple
dentition, dont on ne remarque que les
plus basses, car la seconde ligne ne hausse,
entre les éclaircies, que ses pointes plati-
nées.

Autour de notre omnibus aérien, des
jeunes gens s'empressent. Ce qu'il y a
de si charmant dans l'aviation, c'est que
tout le monde y est jeune. Des officiers

d'escadrille chiliens dans des uniformes très anglais, assistent à notre départ; ce sont des personnalités politiques importantes, ces aviateurs; jeunes gens grâce auxquels la flotte chilienne mutinée vient d'être matée il y a deux mois, à l'aide de bombes aériennes; l'un d'eux nous accompagnera jusqu'à la frontière pour que nous ne rapportions pas en France Dieu sait quels clichés stratégiques du Chili Nord. Les hélices tournent, projetant au loin de l'huile de ricin et un sable noir. Notre pilote américain est nordique, cheveux blonds, yeux bleus, teint de viking; on sent que celui-ci, comme les nôtres, serait un héros si c'était nécessaire. Nous voici partis. Ce n'est pas le décollage doux, lent, progressif des aviateurs français. L'avion s'arrête, face au vent, fait ronfler l'un après l'autre ses trois moulins puis, d'un coup, à pleins gaz, s'arrache au sol et escalade l'air verticalement. Nos roues tournent encore dans le vide, au-dessus d'une herbe neutre, sans routes ni arbres, que déjà nous quittons la capitale. Nous avons à peine le loisir de jeter un dernier coup d'œil sur Santiago, par temps gris beaucoup moins estimable qu'hier soir. Nous entrons dans les nuages, défonçons un plafond mou qui, sous notre poussée, se crevasse et approchons d'une douce chaleur, coton d'abord lumineux, pour émerger l'instant d'après sur une mer de nuages aveuglante. Sous le ciel entièrement bleu, nous nous trouvons soudain au niveau des Andes dressant dans l'azur leurs contre-forts et leurs aiguilles de glace. Sectionnées ainsi en leur milieu par les nuées, elles perdent la moitié de leur taille et redeviennent de simples Alpes, mais leur irridescence, leur pureté étincelante qu'aucune suie ni vapeur n'atténue, ne sauraient tromper sur leur origine divine. A peine la terre se rappelle-t-elle parfois à nous au fond d'un puits creusé dans le tuf mou des nuées; cette moisissure, c'est une prairie. La trappe se referme aussitôt. Puis des sommets moins hauts s'approchent, masses ferreuses, violacées, couleur de météoride; juste sous nos roues achèvent de fondre des coulées de neige. Les nuages se dissipent, se marbrent, se disloquent enfin, ne projettent plus sous nous que des opacités rares, des cartes géographiques bleu de Prusse. Des chemins maladroits, aux serpentins réticents, lacent les montagnes, les étranglent aux cols et redescendent sur l'autre versant. Nous sommes au niveau des plus hautes cîmes des Andes, que désormais nous allons longer pendant des milliers de kilomètres, jusqu'à l'Equateur. Sur les pointes hérissées, sur les herses de glace, sur ces tessons du mur mitoyen qui sépare l'Argentine du Chili, arrosés du plus vertical soleil, à peine quelques ombres sont portées, non pas des ombres de couleur, transparentes, d'été, des ombres d'impressionnistes, mais des ombres d'hiver, noires, classiques, ombres de Le Nain ou de Proud'hon.

Au premier plan, je vois le carter d'aluminium en forme d'obus d'où sort l'air
tremblant des gaz brûlés. Jamais ne
m'emporta si bel oiseau; ce n'est pas un
de ces affreux biplans pareils à un chalet
en construction, mais un grand carnassier
avec rien sous lui que le vide infini et le
paysage abrupt. Pas de pauvres toiles
frissonnantes, mais des ailes dures qu'aucune tempête, aucune variation de température ne sauraient déformer. Nous
n'avons pas à nous soumettre à l'air :
c'est l'air, vaincu, qui nous obéit.

L'un de nous sommeille, l'autre
déjeune, une assiette de carton sur les
genoux; l'opérateur est penché sur ses
tables d'écoute, le garçon de cabine tape
à la machine. A ma gauche, une ligne
ignée apparaît, et pour la première fois
j'aperçois du haut des airs, sous les feux
de midi, l'Océan Pacifique. Il double
la mer de nuages, qui consent à s'enrouler
pour nous le laisser voir, frange d'une
grosse volute, d'une écume de vagues,

telle qu'elle arrive du premier rivage,
celui de l'Ile de Pâques. Ile située à mi-
chemin entre le Chili et Tahiti, et dont
les dieux de pierre volcanique coiffés d'un
chapeau haut-de-forme, saluent à flanc
de montagne, avec le même sourire dont
ils accueillirent La Pérouse, le petit vapeur chilien qui amène, une fois l'an, de
Valparaiso les déportés politiques (mais
dernièrement les déportés se sont enfuis
emmenant le gouverneur). Ile dont l'art
offre de si troublantes analogies avec la
civilisation inca, où l'on retrouve le même
style trapezoïdal, les mêmes terrasses de
pierres jointoyées et, aux mêmes fêtes
d'initiation, des hommes vêtus en oiseaux
qui font semblant de pondre des œufs...
Le Pacifique, qui engloutit si facilement
les terres a englouti également les liens
qui rattachaient l'Ile de Pâques à ce
rivage-ci.

Pacifique, seule vraie mer, eau-mère
pleine de créations tièdes, de matières
comestibles, de secrets profonds, qui

mouille les rivages les plus peuplés et les plus désolants, les plus misérables et les plus recherchés des dieux aux yeux de nacre, Pacifique, abîme fondamental, sérum infini. Océan de la peur et de la solitude, de la naïveté et de la magie; des coraux blancs et des basaltes; des fleurs, des perles et des maladies de peau; des flibustiers et des géographes; où l'Asie et l'Extrême Europe règleront demain le sort du monde.

Ma voisine me passe sur un papier ce mot au crayon : « Pas de condor? » — Non, aucun. Le condor vole, voit, vit moins haut que nous.

Il s'enlève en fouettant l'âpre neige des Andes
Dans un cri rauque il monte où n'atteint pas le
[vent,
Et loin du globe noir, loin de l'astre vivant
Il dort dans l'air glacé, les ailes toutes grandes.

Leconte de Lisle, créole, on put croire un moment qu'il serait le poète des Andes, le chantre de cette symphonie convulsive,

le Vigny de cette méchanceté sublime,
mais il n'utilisa qu'en passant les paysages américains, comme il l'avait fait
des Indes, de la Grèce archaïque, et
de tout le bazar. Hérédia reste seul :

« Les Andes étageaient leurs gradins de
[basalte... »

Je dédaigne le tube métallique qui
fournit à chaque passager de l'oxygène
et rétablit en lui l'équilibre des pressions;
(ne sommes-nous, malgré notre aspect
solide, que de l'air, qu'une vapeur condensée?) Je voudrais monter plus haut
encore, glisser, hélice calée, dans le silence
sidéral de cet air qui est la seule vraie
unité du monde, ou atterrir sur ce sommet en forme de table et rester là en contemplation au-dessus des passions géo-
logiques, dans l'immobilité de ce nirvâna.
Pas un champ, pas un troupeau, pas
une vermine humaine. Par grands plans,
les vagues d'assaut du sol se boursoufflent

sous moi. J'en vois dix à la fois; chaque
vallée est à une hauteur différente; ce
sont des gorges assoiffées pleines de cailloux. Je domine la convulsion des failles
profondes, la brisure des sommets d'où
descendent les moraines noires. Toutes
les dix minutes, tous les trente-cinq kilomètres, une rivière café-au-lait, presqu'à
sec, sort d'un précipice strangulé et étale
vers la plaine son lit gris ou pourpré
de porphyre délayé, veinant la terre à
fleur de peau.

Le bel acier des sommets usé par le vent
disparaît enfin, les Andes reculent, la
plaine s'élargit en bas-fonds volcaniques,
en contreforts cassés qui rappellent la
carapace ignée de la Sicile, de la Calabre,
de l'Auvergne. C'est la couleur même de
la vache rôtie dans sa peau. La terre
meuble, moins penchée, commence à
accrocher sa chair au squelette : elle prend
du prix, car là où elle est verdoyante, je
l'aperçois enclose de murs de pierres, de
parcs à bestiaux, et bientôt je vole au-

dessus d'un cadastre. Les cristaux de glace, roses comme des sels anglais, qui, il y a un instant, nous envoyaient leur fraîcheur, ont disparu, et nous plongeons tout à coup vers une géométrie de rues coupées au cordeau; ces tôles et ces zincs sont les toits d'une ville. Nous la dépassons; le régime du moteur tombe, je puis distinguer maintenant les pales de l'hélice, les oreilles me sonnent; la terre monte vers nous et voici qu'une population en délire nous attend; des milliers d'homuncules, les bras levés, dévalent les flancs de la montagne à notre approche; nous descendons encore; si cette foule reste immobile, c'est que... ce sont des cactus-candélabres. Un seul être humain vient à notre rencontre; c'est un vieux fermier anglais qui descend de son ranch, à quelques lieues d'ici, deux fois par semaine, pour agiter un drapeau vert de chef de gare à l'arrivée de la malle aérienne.

|La plaine a repoussé les Andes jusqu'à

l'horizon. Le Pacifique, qui décrivait de
longues courbes ouvertes, a disparu lui
aussi. De chaque côté de cette figure aux
rides profondes, aux lèvres lézardées, la
mer et la montagne nous ont, l'une et
l'autre, abandonnés. Aux torsions du relief succède la monotonie d'un glacis de
huit cents kilomètres de long; c'est le
grand désert d'Atacama, au fond râpeux,
affouillé de ruisseaux qui ont l'horrible
couleur de ce maïs fermenté dont les
Indiens s'enivrent : *la chicha;* ces ruisseaux essayent d'atteindre l'océan, mais
la plupart meurent en route, laissant sur
le sable un squelette de pierres roulées.
Mes yeux brûlés regardent en bas; nous
montons, et mon regard élargit son cône;
les autres déserts ont des rochers, des
dunes, des plantes grasses, des lichens,
des palmiers nains; ici il ne pousse rien,
absolument rien... et pourtant cette terre
est l'une des plus disputées du monde
car c'est la terre des nitrates. Une voie
d'exploitation, droite comme une avidité

d'homme blanc, traverse cette plaine ger-
cée, cet humus de décompositions vé-
gétales et animales que la pluie ne dilue
jamais; pourriture desséchée d'algues,
suppose Darwin. Nitrates de Taltal,
d'Antofagasta, de Tocopilla, d'Iquique,
derniers témoins d'âges révolus où l'humidité bienfaisante n'était pas arrêtée par
une Cordil ère alors couverte de forêts,
comme en témoignent les arbres pétrifiés
dont les fragments jonchent le sol...Felds-
path cru, mercure, fer, taches suspectes
de salpêtre, plaques sulfureuses, affleu-
rements de sel gemme, voilà tout ce que
je verrai pendant vingt-quatre heures de
vol. Des hommes vivent là, dans ces
exploitations de nitrate. Des combats se
livraient déjà du temps des Incas, pour
la possession de l'engrais et la seule
humidité que but ce sol, au cours des
siècles, fut celle du sang. Le passage des
Andes par les troupes de San Martin
semble moins incroyable qu'un ravitail-
lement d'armée dans ces champs maudits

que fuit le vautour lui-même ; aucun
autre oiseau n'y vole que notre avion
dont je puis voir, en me penchant, courir
sur le sable la petite ombre rectiligne et
fidèle.

La rencontre de l'air chaud du sol et de
l'air froid dégagé par le courant marin de
Humboldt provoque d'étranges soubre-
sauts de l'avion. Aux tremblements de
terre, qui font si souvent frissonner la
peau épaisse du sol chilien, correspon-
dent pour nous des tremblements de ciel.
Thin air, air maigre, disent les pilotes,
air où il n'y a à boire ni à manger; air
qui ne vous porte pas, tissu trop mince
où tout fait un trou, le moindre son, la
moindre couleur, air sur lequel nos ailes
ne reposent pas, contre lequel elles ne
trouvent pas d'appui pour les virages et
qui nous oblige, à l'atterrissage, à descendre plein gaz, à « installer tout chaud ».
Les vents latéraux nous font avancer
« en crabe »; l'air plie sous nous comme
un brin d'herbe sous le poids d'un in-

secte trop lourd; tantôt d'invisibles trap-
pes semblent s'ouvrir sous nos ailes;
l'instant d'après, au contraire, nous voici
projetés par paliers successifs de quatre
ou cinq étages. Mais le vent qui arra-
cherait une voile ne peut que nous faire
vibrer, sans retarder beaucoup notre
route. Dans cette tempête tombée d'un
ciel serein, les heures sont longues; aucun
apaisement à espérer avant la fraîcheur
du soir; alors les courants ascendants fai-
bliront et les poches d'air se nivelleront
dans la nuit.

Iode, borax, fer sulfureux et, — comme
une purgation géante —, les dépôts blan-
châtres de sulfate de soude : c'est un
musée de minéralogie que nous survolons tout le jour, brisés de fatigue, les
membres rompus par les heurts. Le crépuscule descend, assombri de nuages.
Tout l'hiver, les côtes du Chili Nord et
du Pérou dorment ainsi sous un brouillard grisâtre qui leur cache le soleil et le
ciel sans tache. Dans la lande sinistre

où nous atterrissons, brillent en plein
vent les bougies qui veillent les morts
enterrés au hasard des chemins. L'obscurité et la fatigue composent, quand
j'ouvre les yeux, des décors incroyables,
peuplés de fantômes qui attendent le
départ des trains de minerais destinés
à enrichir Guggenheim. Sur une piste
désolée notre voiture roule vers le grand
port des nitrates, Antofagasta.

Antofagasta, c'est la Tobadongo de
John Antoine Nau, où les rues sont
tirées du calendrier, où les chevaux entrent de plain-pied dans la salle-à-man-
ger, où les Indiens vautrés dans les
squares, sous les magnolias, ont « des
têtes de grenouilles mourantes ou de
tortues hors d'âge ». Je me mêle à la
population qui se promène avant dîner
sur les trottoirs; je comprends le désespoir de Don Benigno Reyes, par la
bouche de qui Nau a si terriblement
exprimé l'atroce abandon des petites
cités du Chili Nord; mais j'aime, entre

toutes, ces heures d'isolement dans les
villes où je ne connais personne, attablé
avec un pilote de hasard au cabaret où
je ne reviendrai jamais; je suis descendu
dans un hôtel borgne tenu, (si l'on peut
dire), par le Señor Sauce et qui ressemble
aux auberges des voyages romantiques; les fenêtres de ma chambre sont
hermétiquement closes; au milieu de la
nuit, étouffant, je réussis à en ouvrir
une, pour respirer; un cri retentit :
cette fenêtre prenait jour, non sur l'extérieur, mais sur une autre chambre, où
une señora hurlant de peur se dresse
sur son lit.

FIN DU CHILI NORD

De nos jours où les ouvriers travaillent, l'indifférence ou la haine au cœur,
c'est dans l'aviation que s'est réfugié

l'amour du métier. Les hommes-oiseaux
se penchent sur leur moteur avec la
même tendresse que les artisans de la
Renaissance sur la ciselure d'un bronze.
Je monte dans les airs pour oublier la
vie, pour être seul au ciel, pour m'éloi-
gner des hommes, et chaque fois l'avion
me réconcilie avec eux... Mon pilote
américain est fier de son appareil, il en
parle, non au neutre, mais au féminin,
comme de quelque chose de noble, comme
les marins anglais de leur bateau, et
d'ailleurs il emploie volontiers le mot de
navire, de *ship*. Il accroche devant lui
un papier que lui tend le radio : « A
100 milles, pas de plafond, visibilité
25 milles, vent Nord-Ouest, 38 à l'heure;
température 22° »...

Nous volons un quart d'heure entre
des cîmes dont l'élan sauvage s'est soudain arrêté, inerte, à notre hauteur; puis
virage au-dessus du Pacifique. Notre
bruit soulève au ras de l'eau des milliers
de mouettes, de pétrels, qui ponctuent

de taches de gouache les velmes sous-
jacents des rochers violets. Allons-nous
atterrir sur cette minuscule plage étroite
où les récifs aigus affleurent de toutes
parts dans le sable? Certainement non,
Mais si! nous descendons presque verticalement, passons juste au-dessus d'un
avion du même modèle que le nôtre, le
Santa Rosa, qui a cassé une roue ici il y
a huit jours, et nous nous posons parmi
des barques de pêche. Sans nous regarder,
des Indiens mi-nus hèlent un filet, aidés
par des mules; d'autres calmatent au
feu une goélette; ainsi plusieurs fois par
jour nous atterrissons, tantôt dans la
solitude du pâtre, tantôt dans le labeur
du mineur ou de l'ouvrier d'usine et,
sans l'intermédiaire des hôtels, des gares,
des relais, des banlieues, nous surpre-
nons du haut du ciel le travail des hommes.

Décollant avec brutalité, pour sortir
de notre trou avant les falaises proches,
jetés les uns sur les autres, nous rasons

de nos roues la croûte des hauteurs;
l'appareil se cabre, sucé par ses hélices
et nous montons dans le soleil. Le
Santa Rosa, monstre d'aluminium infirme
qui, il y a un instant, barrait de son
envergure la largeur de la plage, n'est
plus, quand je me retourne, qu'un cerf-
volant...

Iquique, Arica, Tacna, villes sans cesse
assommées par le coup de massue des
raz-de-marée, et malgré les tremblements de terre sans cesse reconstruites,
villes exportatrices d'iode et qui en ont
pris la couleur... L'air sort du sol comme
d'un séchoir électrique. Des Indiens mé-
tissés de nègres, des *zambos* aux pom-
mettes saillantes, aux yeux bridés du
Mongol, mais aux cheveux crépus et au
nez camus du Noir, le tuyau d'essence
à la main, montent pieds nus sur notre
toit, je veux dire sur nos ailes, vrais
cornacs. De l'horizon surgit un Indien,
pareil à ces coureurs qui, se relayant,
apportaient à la table de l'Inca des pois-

sons de la mer; il me tend un télégramme de New-York : naturellement ce sont de mauvaises nouvelles, mais le ciel est si beau et la vie si courte...

PÉROU

Un drapeau blanc et rouge : c'est le Pérou; les Andes reviennent sur nous. Derrière leur première ligne de faîte, ces hauts plateaux, ce Thibet américain, ce berceau de l'empire Inca, c'est la Bolivie, pays séquestré, privé de fenêtres et de portes, qui regarde avec envie le Pacifique où il n'a plus d'accès, depuis une guerre malheureuse. Le sud du Pérou continue exactement le nord du Chili. Encore trois quarts d'heure de vol, le dernier vol de la journée et il est inoubliable; nous rasons un précipice béant, si poignant que nos yeux osent à peine

y descendre. Sur l'autre bord commencent les montagnes de métal, milliers et
milliers de cônes de potasse grise où le
mica étincelle comme des vitres, entre
des lacs de borax. Le sol a la couleur de
la poule au poivre rouge, mets national.
Rien n'est plat; où poser le pied sur cette
houle pétrifiée dans un rayon de cent kilomètres? La réverbération est intense
et notre vaisseau métallique est lancé
comme un volant par de puissants souf-
fles chauds; il tremble, tangue, vibre,
s'ébroue, halète, tire de ses trois moteurs,
lutte contre la dérive, sollicité latérale-
ment, provoqué de tous côtés. En un
quart d'heure, nous sommes montés du
niveau de la mer à trois mille cinq
cents mètres.

Voici donc le Pérou, ce pays réputé le
plus riche du monde, objet de toutes
les convoitises, de tous les rêves, pour
lequel tant d'hommes se sont tués ou
ont vendu leurs terres d'Europe et leurs
femmes, vers lequel les Espagnols sont

montés à dos de mule, ou à dos d'Indiens qui hissaient sur leur échine, jusqu'au sommet de la Cordillère, les hidalgos bottés et conservaient aux flancs la marque des éperons. Pérou de *Candide* où les gueux jouent avec des palets d'émeraude... Pérou qui sert de décor au deuxième acte des *Indes Galantes*, pour l'entrée des Incas dansants. « Le théâtre représente un désert du Pérou terminé par une montagne aride »; cette indication de scène correspond à la réalité. Cette montagne aride, dont le livret de Rameau dit que « son sommet est couronné par la bouche d'un volcan formé de roches calcinées, couvert de cendres »... nous y arrivons, c'est le Misti, la montagne sacrée d'Arequipa.

L'aéro-port, je ne le distingue de la montagne elle-même, couleur de culot de pipe, que grâce à ce grand cercle peint en blanc, comme on en voit au centre des terrains de football; cette vallée à deux mille huit cents mètres d'al-

titude, c'est la vallée de Chilinos avec
ses plantations de coton, ses eucalyptus
à feuilles de cuir, ses taches de luzerne,
d'*alfalfa*, les blanches campanules du
datura, et les carrés de beau maïs neuf,
engraissé de guano.

AREQUIPA

Nous atterrissons à cent cinquante à
l'heure dans une poussière qui soulève
tout le paysage. Pourquoi bousculer ainsi
cette paisible cité d'églises et de couvents?
Je sors du fuselage parmi les sacs postaux
aux couleurs bleues et blanches de l'Argentine, illustrés de noms d'escales. Je
ne suis plus l'habitant pressé des airs; ici
toute hâte serait choquante et je fais
effort pour passer d'un rythme à l'autre.

La cathédrale d'Arequipa, bâtie en
pierres volcaniques couleur de miel, est

restée jeune et fraîche, malgré les siècles,
comme un visage de nonne. Elle éclate
de cette joie de vie du plateresque, de
cette exubérance churriguresque impor-
tées d'Europe, et qui, sur le fond sévère
des Andes, accrochent un frivole décor :
ici, ce n'est pas l'Eglise qui exprime l'idée
d'éternité; aussi s'en vengea-t-elle en
appelant la montagne « la maison du
démon ». Mais dans cette salle des fêtes
que fut le Pérou des vice-rois, que les
églises étaient de beaux meubles ! Ce qui
frappe dans l'art jésuite, c'est son côté
transportable, cosmopolite, sans racines
nationales, et surtout, pressé. On se
demande comment a pu durer si longtemps une civilisation qui tolérait cette
anarchie, où le décorateur l'emporte sur
l'architecte, le marbrier sur le décorateur,
l'ornemaniste sur le mouleur et le pâ-
tissier sur tous?

Arequipa est le grand marché des
laines, des mules et des révolutions. Le
jeu éblouissant de ses petites maisons

empâtées à la base, éclairées de bleu
lessive, de ses vieux palais roses, de ses
patios aux faïences espagnoles d'où surgit
un dattier africain, étincelle au fond d'un
cirque de volcans. Ville de cratères et de
cyprès, de neige et de géraniums lierre,
Arequipa est la Grenade, le Marrakech
de l'Amérique. Ses grand'places sont à
arcades, ses petites rues à pans coupés,
comme pour cacher le Comte Almaviva,
ses églises abritées par des arbres à campanules dont les fleurs mauves jonchent
le sol, tandis qu'en face une sentinelle
très chinoise monte la garde devant un
conciliabule politique d'officiers supérieurs. Les montagnes du voisinage ont
des noms de chats et s'appellent le Misti,
le Chacchani, le Pichu Pichu. Plus vieille
que Lima, Arequipa poursuit la capitale
d'une haine provinciale. Cité libertaire,
centre de complots politiques et mili-
taires, elle ne manque jamais l'occasion
de se révolter et s'en fait gloire... C'est la
seule ville où j'ai vu mendier à cheval;

où j'ai vu les plus belles épaves humaines,
des Indiens si pauvres qu'ils étaient
vêtus de tampons de journaux retenus
par des ficelles, où j'ai entendu des
jeunes gens anglais jouer au tennis en
criant « Caramba »! Ville toujours agitée
de tremblements de terre ou de coups
de canon, toute secouée du feu des
passions, jaillissante de poésie et d'eaux
thermales.

AU SOMMET DES ANDES

Ces hauts plateaux, où se hissa Pizarre,
sont accrochés, comme un hamac, à deux
murs : le plus bas, la Cordillère du Pacifique, le plus haut, la Grande Cordillère,
dont l'autre versant descend sur la forêt
vierge. Cette plaine surélevée, nommée
la *puna*, ignorerait l'eau, — car l'écran
montagneux la prive des brumes océa-

niques comme des nuages de l'Amazone —
si un chapelet de lacs ne la mouillait par
endroits. Sa chétive végétation, c'est à
la neige fondue qu'elle la doit, neige
sacrée à qui les Indiens offrent encore
des sacrifices et devant laquelle l'archevêque de Lima disait des messes.

Mon train émerge de cette confédé-
ration de volcans qui protège Arequipa,
et s'apprête à monter sur le toit de l'Amérique. Le ciel est pur comme celui de la
Sierra mexicaine, auprès duquel le bleu
de l'Attique est d'une lourdeur toute
algérienne. Mais notre ascension ne con-
naîtra pas ces étagements de climats,
cette superposition de toutes les flores
que le Mexique offre aux voyageurs curieux de raccourcis. Au-dessus de la poussière et du désordre des pierres, un paysage blanc comme de la cendre d'olivier
assaille le flanc des volcans; rien que
trous et bosses et pierres cassées, écail-
lées, entre lesquelles le cactus à dix bras
s'horripile, l'agave lutte, le figuier de

Barbarie contorsionne ses raquettes. Paysage élémentaire qui a renoncé à toutes les joies ordinaires du sol. Paysage de pierres; d'où le rôle capital de la pierre dans la mythologie indienne.

Dans le roc, un tronçon de route parfois s'ébauche avec des repentirs, dessine une grecque. Les grands schistes se laissent çà et là trouer par quelque ruisseau et découpent sur le ciel des arêtes, anguleuses comme un profil indien. Les habits ne sont plus en coton, mais en laine. Les chaumières ne sont plus en boue séchée, mais en pierre, renforcées aux angles, comme les malles par des ferrures; chacune est sommée d'une croix, et l'on pense longer un cimetière. Soleil absolu, vertical et froid; en frissonnant comme des brebis tondues, nous abordons le plateau. Ce rebord de la première Cordillère, les indigènes l'appellent : le sourcil de la sierra. Une herbe couleur de paille, le *pajonal*, couvre à perte de vue cette sorte de fonds sous-marin, à la végétation rongée de sel et de salpêtre.

LAMAS

Tout de suite je les ai aimés, les lamas avec leurs yeux languissants et mouillés, leurs petites oreilles droites, en corne d'escargot, leur cou mobile qui pivote comme celui d'un oiseau, leur grosse croupe de dame, leur corps élégant, caché sous une laine épaisse. Tout ce qu'on apprend d'eux est en leur faveur; le lama réclame un sol maigre, une herbe pauvre, un air rare; dans les paysages gras, les terrains bas, il meurt. Les privations sont sa joie : c'est un mystique que la richesse tue; c'est le seul être vraiment heureux à ces hautes altitudes. (Je ne lui ferai pourtant pas l'injure de le surnommer, le chameau de la montagne). A la limite

des neiges, il est chez lui; il reste tel qu'on
le voit peint sur les poteries pré-incaïques,
portant les mêmes fardeaux, en forme
de selle, que les ânes chleuhs de l'Atlas.
J'aime son immobilité inquiète, l'œil hors
de l'herbe jaune, comme un périscope,
les belles taches noires ou marron de sa
robe. On ne peut oublier qu'il fut un
animal sacré et qu'il appartenait au Soleil; les Indiens l'aiment au delà des
limites permises; on raconte volontiers
qu'une loi inca interdisait à l'Indien de
voyager avec son lama et sans sa femme...
(je renvoie là-dessus à un merveilleux
conte de Ventura Garcia Calderon). Le
lama fait partie de la famille. Quand il
est d'âge à travailler, on le reçoit dans
la maison, on lui passe aux oreilles, préalablement percées, des franges de laine
aux vives couleurs, on danse autour de
lui et on l'acclame. Les Incas faisaient
des hécatombes de lamas noirs et les
Espagnols, dit Prescott, les tuaient pour
en manger la cervelle. Jamais un Indien

ne frappe son lama; il le conduit doucement en sifflant, réglant son pas sur
le sien, et ne lui ferait pas porter plus
de vingt-cinq à trente kilos. D'ailleurs,
s'il prétendait augmenter cette charge,
le lama, offensé, se coucherait par terre
en lui crachant au visage. Tout, chez le
lama, est utilisé; sa bouse sert de combus-
tible, sa peau devient cuir, sa laine vêtement, on mange sa maigre chair, après
l'avoir fait sécher au soleil et on fait de
ses os des instruments de musique. Le
lama, qui vient peut-être d'Asie, fut un
des bienfaits apportés par l'Inca aux
races autochtones. En ce pays qui ne con-
naissait ni la roue, ni le cheval, il était le
seul moyen de transport et, sans lui, l'éta-
blissement et l'extension de l'empire in-
caïque eussent été impossibles. Il a une
sœur sauvage, la vigogne, dont j'aperçois
au loin bondir les troupes effarouchées;
chassée en Bolivie, la vigogne est protégée
au Pérou, comme l'est aussi une chèvre
sauvage, l'alpaga à lourde toison noire,

longue d'un pied, au cou plus court, et à
la taille plus petite que le lama. Sur les
plateaux, dans les joncs verts de gris, il
faut voir sauter la vigogne, avec son visage de petit lama et ses jambes fines
d'isar, par dessus les crevasses aux lèvres
noires, tandis que les lamas avancent au
ralenti, leurs têtes groupées comme en
un bouquet. C'est avec la laine de la
vigogne que les vierges incas tissaient les
manteaux de cérémonie et la corde en
laine de vigogne cernant la tête du chef,
d'un double tour, était symbole de souveraineté.

INDIENS

Grâce au lama j'ai compris l'Indien,
son frère. L'Indien n'est pas fait, lui non
plus, pour les régions basses, les routes,
les autos, le bruit, les étrangers; tout cela,

c'est bon pour les métis. Le bien-être
ferait périr l'Indien, comme le lama; la
solitude et le dénuement lui conviennent.
Les hauts plateaux désertiques, les lagunes stagnantes, les champs non épier-
rés, le silence absolu des Andes auquel
s'accorde si bien son mutisme résigné,
voilà son domaine. De ces Andes, il est
le plus ancien occupant; les conquérants
du Grand Chimu, les dynasties incas, les
hidalgos barbus sur leurs chevaux bardés
de fer, le miel ou le fouet jésuites, les
généraux politiciens, les pionniers anglais,
les commis-voyageurs en camelote allemande, les hommes-volants américains,
tout a passé et passera sur lui sans laisser
de traces. Les tortures, le travail des
mines, les exactions ni les hauts salaires
n'ont eu raison de lui. Certes il n'a jamais
été le bon sauvage qu'ont décrit nos phi-
losophes larmoyants; il n'a jamais incarné
la jeunesse du monde; on le sent au contraire témoin d'époques disparues, aussi
arriéré que les tribus mélanésiennes ou

polynésiennes, isolé par l'altitude comme
elles par la mer; une fin et non un commencement. A contempler l'Indien, on a
cet indéfinissable malaise d'éternité que
donne seule l'Asie. On comprend que les
siècles ne lui sont rien. Il ne gardera aucun souvenir des quatre cents ans de
domination espagnole, qui disparaîtront
de ses Andes comme ont disparu Pizarre
et ses chevaux ferrés d'argent; les noms
de Paris, de New-York auront depuis
longtemps cessé de luire que l'Indien
sera encore à la même place, faisant les
mêmes gestes, comme les spectres, muet
le jour et parlant la nuit. Qu'il appar-
tienne à l'une ou l'autre des deux races,
qu'il soit *aymara* ou *quechua*, il saura
durer; il ne connaît pas la crise, il n'attend rien de personne, il cuit lui-même
son pain, tisse son poncho chamois, rayé
de rose, carde ses harnais de laine, cons-
truit sa maison, fait fermenter son maïs
au pied des grands spasmes volcaniques,
épris de magie, familier des divinités

inférieures, il s'assied parmi les ruines
des tombeaux, garde son bétail et chante
son rêve sur la *quena*, tibia troué qui lui
sert de flûte. Les légendes préincaïques
disent que sa race est issue des pierres. Il
est une pierre, à peine animée; il a la
dureté et l'inertie des monolithes. Une
joue gonflée par la chique, le chapeau de
coolie au dos, tel qu'on le voit déjà sur
les vases funéraires grotesques d'il y a
mille ans, il mâche ses feuilles de coca.
Très sale, infiniment sale, ne se lavant
pas, dormant habillé, aussi sale que son
frère mongol, comme lui très maigre, de
peau tannée, au corps sans poils, couleur
des montagnes de cuivre, on suit à la
trace son odeur épouvantable. Rien au
monde n'empeste comme les Indiennes
de Bolivie, avec leurs feutres gras ornés
de plaques d'argent, d'où s'échappent
des nattes de bohémienne et leurs robes
superposées, qu'elles ne retirent jamais.
L'Indien vit sans protection, sans méde-
cin, se soignant avec des simples, du

soufre, du fer, des racines, des graines
sèches; il ne mange que des pommes de
terre gelées; l'Inquisition lui a fait prendre le chemin de l'Eglise, mais en se
prosternant devant le tabernacle, est-ce
toujours le Christ qu'il implore ou une
des idoles que ses ancêtres ont cachées
sous le pavement? Pour lui, le sang de la
messe c'est le sang du divin lama; il
rebaptise les dieux qu'on lui a imposés;
l'inoubliable Christ noir de la cathédrale
de Cuzco devient le démon des tremblements de terre. L'Indien fait des enfants
partout, les met au travail dès quatre ans.
C'est un agriculteur, il cultive la montagne échelonnée en terrasses par ses ancêtres; il fait corps avec la terre, il ne
cesse d'être en contact avec elle, la nuit
quand il étend son dos maigre sur le
sol battu, le jour par ses pieds nus durcis.
Il est doué pour la musique, l'astronomie
et les mathématiques, mais il est illettré,
ivrogne, abruti; travailleur acharné, mar-
cheur infatigable, il ne croit ni à l'or ni à

l'argent. La civilisation l'a décimé, mais
non changé; combien compte-t-on d'Indiens aujourd'hui, en regard des quarante
millions qu'ils étaient, lors de la conquête?... Il fait semblant de ne pas vous
voir; le questionne-t-on, il ne répond
pas. Si le triomphe des conquistadores a
été celui de la volonté de puissance, plus
durable me paraît devoir être la résis-
tance passive des Indiens. En Amérique
du Sud, la côte Atlantique c'est le succès,
le progrès, la machine; la côte Pacifique :
l'humilité, la pauvreté, la simplesse. Le
Yankee croit à Ford comme Pizarre
croyait au Pape; mais celui qui n'y croit
pas, qui ne livra jamais combat, qui per-
siste dans une opposition sourde de paysan et d'asiatique, celui-là aura raison de
l'étranger, et déjà il le sait. De tous
côtés me parviennent des brochures de
propagande indienne. J'en trouve dans
mes poches, dans mes bagages. Ce mouvement nouveau s'appelle *indianisme*,
andinisme, *incaïsme*. Les Andinistes mau-

dissent l'Espagne, « incapable de créer en
quatre siècles une civilisation américaine »,
la Compagnie de Jésus « dont la pire
forme est le jésuitisme créole » et saint
Ignace de Loyola, ce « *virus cadave-
rizante* ». Les Incaïstes prêchent le retour
au passé. Quel passé? Les liens qui unis-
sent l'Indien mongol aux Andes, pour
être plus anciens, ne sont pas moins dûs
au hasard de la conquête que ceux qui
fixèrent les Espagnols en Amérique. Ce
qu'il faut retenir de ces violences, c'est
la haine du Blanc et de la civilisation
européenne que les intellectuels locaux
essaient de faire pénétrer dans ce peuple,
l'un des plus pauvres du monde, qui n'a
jamais rien pu posséder en paix depuis
Pizarre. Mais a-t-il jamais possédé sous
les Incas, et n'est-ce pas le triste sort de
l'Indien que d'être éternellement exploité
par des maîtres toujours différents? La
révolution de l'Indépendance sud-améri-
caine a été faite par des métis menés
par des Blancs créoles et franc-maçons

contre la métropole, contre la noblesse et
le haut clergé demeurés espagnols. La
deuxième partie du drame, la révolution
sociale, sera faite par les Indiens purs,
menés cette fois par les métis, à l'insti-
gation de la IIIe Internationale.

L'Indien vient-il d'Asie? Du Pacifique? Je le crois volontiers, tant certaines
évidences sont troublantes. Arrivé du
Nord par le détroit de Behring, en sau-
tant par dessus ces pierres de gué que
sont les Iles Aléoutiennes? Ou échappé
à l'immersion d'un continent aujourd'hui
disparu? Ou transporté en canot de
Polynésie? Les savants de l'Amérique du
Nord, opposés à cette thèse, soutiennent
que la race est autochtone. Mais dans
quel pays a-t-on jamais trouvé des autochtones? Partout règne la loi du dernier
occupant et personne n'a jamais rien
occupé ici-bas pour la première fois; tout
le monde est venu d'ailleurs. Si l'on vou-
lait rendre l'« Afrique aux Africains »,
comme le demandent les bolchevistes

nègres, il faudrait en chasser les Soudanais, les Arabes, les Berbères, les Peuhls,
et l'abandonner aux Pygmées... et
encore !

Oui, à chaque instant, l'Indien, par un
geste, une attitude, me rappelle l'Asie.
Avec son odeur musquée de cerf en rut
et son parfum de latrines, il *sent* l'Asie,
et j'attache à ces impressions fugitives
autant d'importance qu'à des signes plus
précis. Les évidences scientifiques, en
outre, abondent. J'ai retrouvé chez l'Indien les mêmes tatouages, les mêmes jeux,
la même monnaie de coquillages, les
mêmes armes qu'au Siam, aux Philippines, à Ceylan; j'ai reconnu, sur une
harpe bolivienne, des airs birmans; j'ai
vu à la Paz des masques de danses qui
sont exactement des masques cambod-
giens. Si ces notations de voyageur semblent trop superficielles, qu'on se reporte
aux travaux du Dr Rivet. Certes, l'Indien
est en Amérique depuis longtemps, puis-
qu'il n'a apporté avec lui ni le fer, ni la

roue, ni le blé, le seigle et l'orge, connus
en Asie depuis les temps historiques,
mais comment expliquer qu'on retrouve
aujourd'hui en Annam et en Polynésie
ces cordelettes à nœuds, instruments de
calcul d'un usage si courant au temps de
l'Inca, et dont les pâtres boliviens se servent encore pour compter leurs troupeaux? Le tissage en spirale de la paille,
les huttes en forme de ruche, le hamac,
les grands tambours de bois, la sarbacane,
le boomerang, la flûte de Pan, les Indiens
du Pérou et de Bolivie les possèdent en
commun avec leurs frères du Pacifique.
Et le langage? *Aymara* ou *quechua*, ces
langues jumelles, sont cousines des
idiomes ouralo-altaïques et mongols, ap-
parentées au summérien, aux dialectes de
Mésopotamie. Le Dr Rivet nous apprend
que telle tribu américaine nomme le nez
ihu, le soleil *la*, la mer *tass*, l'homme *opa*,
la bouche *aba*, et les mêmes mots *exactement* servent à l'autre bout de la Polynésie. Les Australiens nomment l'or *ko*,

la poterie *ooko*, la main *mar*, l'eau *kun*,
et ces mêmes mots sont en usage chez les
Patagons.

LA COCA

Si l'Indien n'a qu'un amour, le lama,
il n'a qu'un besoin, la coca. Jadis réservée aux dieux et aux nobles, la coca est
devenue, après la conquête, le privilège
du peuple. La coca lui sert de monnaie,
de tabac, de boisson et de nourriture. Il
en froisse entre ses mains maigres et
fines les feuilles sèches, et les mâche. Sur
les pentes des Andes on voit les feuilles
de coca blanchir au soleil et les indigènes
accroupis les empaqueter dans des rames
en papier de bananier. C'est par chique
de coca qu'ils comptent les étapes, et
chaque boulette a un effet d'une qua-

rantaine de minutes. C'est avec trois
rations de coca par jour que les fermiers
nourrissent leurs ouvriers agricoles. Chaque Indien a sur l'épaule son sac à coca,
en laine de lama; on le voit s'accroupir,
sa « blague » devant lui, et préparer sa
boulette en la mêlant à de la cendre,
comme le mâcheur de bétel mélange
les feuilles à de la chaux. Dans ses rites
religieux, l'Inca faisait des offrandes de
coca au Soleil comme aujourd'hui encore
les Indiens de Bolivie en présentent, un
jour par semaine, à la Montagne. De ce
paradis artificiel, la Sainte Inquisition
prit ombrage; le Deuxième Concile de
Lima la condamna en 1659, sous le pré-
texte qu'elle servait à évoquer le Malin;
mais les vice-rois durent l'autoriser afin
d'accroître le travail des mines. Markham
cite plus de soixante-dix ordonnances
vice-royales concernant la coca. En 1750
Jussieu l'apporte en Europe, et un siècle
plus tard le Dr Niemann réussit à extraire
la cocaïne. La « plante divine » brûle les

déchets, soutient le cœur, dépure le
sang, exalte le cerveau. L'Europe, qui
exagère tout, en tire des poisons et des
explosifs, mais, sous sa forme naturelle,
j'en aime la saveur tonique et amère.
Enfin elle atténue le mal des montagnes :
le soroche.

Cent récits horrifiques avaient tenté de
me mettre en garde contre le *soroche* : au
col de Crucero Alto, à 4.900 mètres, je
ne pourrais plus résister à l'altitude, si
même je n'y avais succombé avant; le
sang me jaillirait par le nez et les oreilles,
une migraine atroce écraserait mon cer-
celet et j'étoufferais si je n'emportais
des ballons d'oxygène. D'avance, je devais
renoncer à toute nourriture, pratiquer les
massages de la nuque, les compresses
glacées, les bains de pieds bouillants;
éviter les mouvements brusques, ne pas
fumer, ne pas boire, croquer de l'ail,
mâcher de la coca... Je préférai ne me fier
qu'à mes artères qui se comportèrent en
effet fort bien jusqu'à Puño. Là, tout heu-

reux de n'avoir ressenti aucun malaise,
je m'élançai au pas de course, ma valise
à la main, en quête d'une auberge. En un
éclair le *soroche* me terrassa : je passai
une nuit affreuse.

Les animaux ne souffrent pas moins
que les hommes. L'Indien coupe les
narines des bêtes, pour qu'elles respirent
mieux. Tschudi affirme que les chats
transportés sur les Andes meurent dans
de terribles convulsions; en tout cas la
vermine n'y peut vivre et les lits sont sans
puces, sans punaises; la viande, sans mou-
ches, ne se corrompt pas.

LAC TITICACA

Par une nuit noire, sinistre, sous la
pluie, j'avais quitté le port péruvien de
Puno qui enfouit sa cathédrale tourmen-
tée dans les joncs de la lagune boueuse

par où s'effrange le lac Titicaca; à desti-
nation de la Paz, je m'étais embarqué
sur l'*Inca*, vapeur venu d'Angleterre et
hissé pièce à pièce jusqu'à quatre mille mètres. Sur cette nappe, la plus haute du
monde, à travers un orage déployé sur
un plan de cent cinquante kilomètres,
nous avancions à tâtons sans un phare,
sans un feu, dans cette mer noire dont
les Espagnols eurent si peur qu'ils pré-
férèrent la contourner.

Titicaca veut dire « pierre d'étain » et
c'est bien l'immobilité mate de l'étain
liquide qu'ont les eaux de cette « méditerranée suspendue »; elle fait partie de
la montagne, prise dans la même gangue,
lourde du même métal. Un désert d'eau
où se reflète un désert de ciel, entre des
rives rougeâtres. Titicaca, lac aérien si
profond qu'il est inutile d'y jeter l'ancre;
perché si haut, agité de si fortes tempêtes
qu'on y ressent à la fois le mal de mer
et le mal des montagnes. Sur ces eaux
d'astre mort, j'ai passé les heures les plus

exaltantes de mon voyage, en proie à
un bien-être hilarant, en un détachement
total. Les Andes couvertes de cendre
et de glace semblaient des corps glo-
rieux, sublimés par le jeûne et la macération.
Je contemplais les nuages les plus blancs
du monde, l'horizon en dents de scie de
la grande Cordillère, derrière laquelle
s'arrêtent les orages tropicaux des Ama-
zones. Je me répétais que derrière ce
mur de pur acier je pouvais, après un jour
de descente, atteindre la forêt vierge.
C'est de ce contraste qu'est faite la beauté
ineffab'e du Titicaca; ce miroir parfait,
impollué, ignore les miasmes des sols
riches; du haut d'une des plus vieilles
terres du globe, il domine la combinai-
son naissante des alluvions et des affluents
amazoniens, où règnent les grosses arai-
gnées, la lèpre, les moustiques et, parmi le
ruissellement des fleuves dans les lianes,
ces Indiens nus à sarbacanes qui sont sans
doute les derniers sauvages d'Amérique.
Là, dit la mythologie préincaïque, le

soleil se leva pour la première fois, sitôt
que le Créateur eût séparé la nuit du jour.
Lac de mystère et de magie, où les géographes ne voient que le partage des
eaux entre le Pacifique et l'Atlantique,
mais que la tradition désigne comme le
lieu sacré où naquit l'homme. Une civilisation dont on ne sait plus rien a laissé
ses os gigantesques sous forme de temples écroulés au bord bolivien du lac, et
peut-être ses derniers survivants dans
la tribu isolée des *Uros*, désespoir des
ethnographes, habitants de la vallée du
Desaguadero, ce déversoir de fleuves sans
issue. C'est dans l'une des trente-six îles
qu'apparut un jour l'ancêtre des Incas
aux longues oreilles. Etait-ce dans l'Ile
du Soleil, dans l'île Coati, dans l'île de
la Lune, où l'on enfermait les vierges
de sang royal, dans les îles à jeûnes et à
couvents, ou dans la presqu'île à dolmens
de Copacabana, célèbre par les cérémonies mi-religieuses, mi-païennes de ses
pèlerinages, en août, après la moisson,

quand les prêtres officient sur les pierres mêmes où coulait le sang des lamas noirs?

J'ai traversé quatre fois le Titicaca, sans détacher mes yeux de ses eaux lourdes où dorment à jamais les trésors qui y furent précipités dès les premiers coups d'arquebuse de Pizarre. J'y ai vu le plus beau coucher de soleil de ma collection, devant des collines noires dessinées sur un ciel rouillé, ombré de violet; au premier plan, les joncs traçaient des virgules sombres; au fond, les sommets s'alignaient, plus blancs que du sucre. Le ciel ponctué de vols de canards passa de l'or au soufre, du soufre au rose, du rose au rouge, du rouge à cette nuance que l'on nomme foie-de-mulet; alors tout s'irradia, comme de l'alcool de canne qui prend feu. La nuit s'essaya ensuite par des gris tourterelles et des gris acier, tandis que des cumulus apocalyptiques s'écartaient vers un arrière-plan de bleu Nattier, et faisaient place à ces nuages d'un rose léger qui sont peints aux

plafonds rococos des résidences bava-
roises.

Au matin, dans l'immobilité et la lumière du petit jour délivré de l'orage,
qui peut dire l'exaltation heureuse de ce
réveil sur les Andes? Lucidité, pouls à
cent-trente... mais coup de gong aux
tempes à chaque mouvement brusque.
Sur la surface céladon des eaux viennent
à ma rencontre les fameuses barques de
paille, les *balsas*, que les pêcheurs à califourchon sur l'arrière, conduisent, les
pieds trempant dans l'eau, telles que
les vit Pizarre; leurs agrès, leurs voiles
carrées comme la voile de sampan, tout
est de paille et bâti avec les roseaux du
lac; ces gondoles au galbe exquis, aux
flancs larges, sont bordées d'un gros
bourrelet qui les rend insubmersibles;
elles sont la seule vie de cette immense
nappe liquide si pauvre en oiseaux. A
droite, la lagune de Tiahuanaco, la lagune
de Uinamarca. Notre proue disperse les
flottilles de jonc qui laissent un sillage

d'odeurs poissonneuses, et nous atterrissons à Guaqui, port frontière.

Là, je trouvai les Indiens boliviens
habillés de couleurs beaucoup plus tran-
chantes et de costumes plus pittoresques
que les Indiens du Pérou; je m'étonnais
de leurs habits à basques, de leurs robes
plissées qui perpétuent les modes du
XVIe siècle espagnol — jonquille, incarnat,
cramoisi, vert d'une violence inouïe sous
les ponchos arc-en-ciel; les femmes, les
cholas ont de hautes bottines lacées et des
feutres dressés hauts de forme, tandis que
les hommes sont coiffés du bonnet phry-
gien, rouge ou orangé, à oreillettes, pareil
au casque mongol de l'infanterie soviéti-
que. Une auto m'emmène à la Paz; aujourd'hui dimanche c'est, dans tous les
villages que nous traversons, jour de marché; deux ou trois cents Indiens sont réunis sur les grand'places, sans qu'aucun
bruit, aucun cri, aucune altercation se
fassent entendre, pas même ce murmure
confus des foules; on dirait des foires de

fantômes. Ces Indiens sont accroupis à
l'orientale et leur tête apparaît hors de
l'unique trou taillé dans la laine rouge
(coupe carrée du premier vêtement de
l'homme, perpétuée dans la tunique
antique, dans la robe byzantine, dans la
gandourah arabe, dans la chasuble des
prêtres, dans le poncho de l'Indien).
Les femmes, devant leurs dalles de sel
gemme concassées et leurs petits tas de
pommes de terre gelées ou de bananes
des provinces chaudes, vendent aussi
des racines pharmaceutiques, des poi-
gnées de coca et ces gros cèpes, débités
à coups de hache, qui servent de combus-
tible. Au nombre des robes qu'elles portent sur elles, j'apprends à connaître leur
âge, comme par les cercles concentriques
du bois coupé on connaît la vieillesse de
l'arbre.

Ces Indiens ont la beauté immobile
des Andes. D'un regard ils nous témoignent leur mépris ou, en se détournant,
leur haine. Ils gonflent leur thorax déve-

loppé par l'air raréfié. Leurs figures sont couleur de sang séché, de tatouages de guerre, couleur des monstres convulsés qu'on voit sur les primitifs japonais de l'école Fujiwara, couleur de ces personnages congestionnés qui tournent autour des vases étrusques ou qui figurent les démons sur les bannières thibétaines.

TIAHUANACO

L'auto court sur ce plateau qu'on nomme ici *altiplano*; je vois d'abord cette ligne de montagnes rose de bruyère dont les plans s'étagent jusqu'au rose vif, et à cent cinquante kilomètres, à l'horizon, l'Illimani, le Sorata, l'Illampu, toute la chaîne des très hauts glaciers andins protégeant le plus ancien sanctuaire d'Amérique : Tiahuanaco.

A Tiahuanaco, « lieu de la Mort », il

n'y a plus que quelques pierres jonchant
le col. Des terrasses à degrés s'élevaient
jadis au bord du Titicaca, mais le lac s'est
maintenant retiré à vingt kilomètres. Le
site a conservé toute sa grandeur; entouré
de montagnes pareilles à des tables de
sacrifices, il noue entre l'homme et la
nature des rapports profonds. De la plaine,
fouillée par les archéologues, pelée comme
un marais salant, la *pampa pelada*, ce qui
demeure dans le souvenir ce ne sont pas
quelques squelettes masqués d'or, quelques racloirs en obsidienne, quelques
architraves, ni même ces pierres levées,
uniques sur la terre américaine, c'est ce
grand cirque naturel et sacré. Ici comme
en Grèce, comme au Japon ou au Mexique,
le temple n'a été qu'une discrète figura-
tion humaine du seul vrai sanctuaire,
assuré de durer, qui est le paysage même.
Nos savants creusent sans répit, descendent vers un art de plus en plus pur,
comme si le plus pur des arts devait
être le roc; qu'y a-t-il de plus archaïque

que Tiahuanaco, sinon le terrain même
où il a été conçu? A l'ordre humain dans
la composition architecturale correspond
un ordre naturel dans la composition
géographique et nulle part il n'est plus
sensible que sur ce haut plateau bolivien.
J'ai derrière moi le lac, qui ferme une
partie de l'horizon de sa flaque de lumière
étale; tout baigne dans le bleu. Le sol
a la couleur lavée, millénaire, des jades
de fouille. Je traverse le village où Jésus
est adoré, là où jadis on adorait le Chat,
dans une église gardée par des monstres
de pierre qui tiennent leur ventre à deux
mains, comme les figures de proue des
canots polynésiens, comme les vieux gar-
diens des temples javanais, et mettent
leur férocité préhistorique au service
d'une plus récente religion; je ne m'arrête pas pour écouter l'Indien jouer d'une
flûte à six trous qu'il immerge dans une
jarre, afin d'en tirer du fond de l'eau des
sons plus déchirants encore. J'entre dans
le Temple par la porte... et j'en ressors

aussitôt, car cette porte, c'est tout ce
qu'il en reste. Porte monolithe, dernier
vestige d'une civilisation dont personne
ne sait rien, sinon qu'elle précéda de
dix mille ans les Incas, que son influence
fut immense et qu'elle se répandit jusque
sur la côte du Pacifique où elle donna
naissance à l'Empire Chimu, lui aussi
disparu.

Sous ces débris de sanctuaires, parmi
les ombelles et les chardons, on n'a rien
trouvé; les ruines ont servi à bâtir la Paz
et la voie ferrée; le temps, comme partout,
n'a pas travaillé tant dans le sens du creu-
sement ou de la démolition, que dans
celui de l'entassement, de l'exhausse-
ment. Je distingue le contour d'une montagne artificielle, avec escalier monolithe,
qui fut le temple du Soleil : pierres, première offrande aux dieux; je retrouve
l'emplacement des pyramides à degrés
placées exactement dans l'axe du lever
de l'astre et qui devaient ressembler à
celles du Yucatan, à celles de Chaldée.

Devant ces ruines, des pierres se dressent, les unes vert-de-gris, les autres rou-
geoyantes, serpentine et basalte, granit et
porphyre, pierres transportées à des distances inouïes et qui gisent, maintenant;
linteaux de portes, seuils renversés, aussi
grands qu'à Balbeck. Les statues fameuses, au visage martelé de boxeurs, ont
longtemps servi de cible à l'armée. Telles
quelles, exorbitées, mutilées, sont-elles
des hommes pas achevés ou des dieux
punis et pétrifiés? Elles sortent de l'herbe,
vestiges d'une civilisation qui regarde la
nôtre avec effarement et ne reconnaît
rien...que cet Indien qui joue d'une flûte,
faite avec des roseaux du lac. Emotion
de retrouver soudain ici, à l'autre bout
du monde, la syrinx des Grecs, — bien que
cet instrument typique des hautes vallées
boliviennes et du Titicaca existât déjà
avant l'arrivée des Espagnols. Ainsi, à chacun de mes voyages, je découvre un objet,
un mot, un visage qui ont fait, Dieu seul sait
à quelles époques, le tour de la terre !... La

longue plainte de la *quena* de cet Indien,
que suit un troupeau de lamas aux
oreilles déliées, fait ressortir le silence
absolu des Andes, où la matière inanimée
dort son lourd sommeil dont l'homme ne
la tirera pas.

M. d'Harcourt qui a consacré un livre
de grande valeur au folklore de ces régions,
cite ces précieuses chansons, dont le
souvenir se perd; j'aime celle qui commence ainsi :

> Je suis un étranger
> Je te ferai pleurer
> Je suis un voyageur,
> Je te ferai souffrir...

et cette invocation, où s'exhale le désespoir de l'Inca disparu :

> Soleil père, lune mère
> Vous le voyez bien
> Que je verse des larmes de sang...

BOLIVIE

Bolivie, terre incarcérée, grande deux
fois comme la France, terre du culte
ophique et des crucifix aux carrefours,
patrie de l'Hermès Trismégiste, des
métaux enfouis, des mines profondes
comme des tombes, où en trois siècles
s'engloutirent, pour ne plus jamais revoir
le soleil, huit millions d'ouvriers indiens.
Mines d'Oruro et de Potosi, pleines de
cimetières souterrains au-dessus desquels
s'élevait la ville la plus riche d'Amérique,
Potosi dont les femmes portaient, brodées
à leurs souliers, pour cent mille livres
de perles, ville dont l'alcade dépen-
sait deux cents millions pour faire dire
une messe à la mémoire de Philippe II.
Région de sécheresse et d'abondance; pur
pays indien, le plus pur de toute l'Amé-

rique du Sud, où l'on ne compte que quelques centaines de familles blanches. Table centrale commandant les têtes des vallées amazoniennes; là commencent les Yungas aux palmiers annelés, aux fougères de plus en plus transparentes à mesure qu'on descend vers l'air humide et tiède; là les arbres ont des noms et les plantes des effets inconnus; de là descendent des eaux d'abord pures, bientôt pourries et pleines de vies naissantes; là, les pierres font place peu à peu à l'humus élastique et c'est la grande forêt jusqu'à la frontière du Brésil, frontière toujours mouvante, dont les forts partent à la dérive avec leurs glacis et leurs arbres, provoquant chaque jour de nouvelles contestations, pour le plaisir des experts de la S. D. N. Bolivie, pays où un paysan ramasse un caillou pour le jeter à son âne, le laisse retomber tant il est lourd, et c'est un lingot d'argent; où le cuivre dort vierge, avant de courir le monde sous forme de batteries de cuisine

et de fils de dynamo; terre de richesse et
de renoncement, de labeur et de contemplation; terre la plus haute de l'univers avec le Pamir, (et, elle aussi terre
magique); construction métaphysique,
née de quelque incantation; contrée de
glace et de feu intérieur.

La chaîne double de la Cordillère
prend en Bolivie sa plus grande largeur.
C'est le noyau central de l'activité volcanique dont Equateur et Patagonie sont
les noyaux secondaires; sur ce sol vivant
dont le sismographe est la feuille de
température, sous le ciel paré de nuages
frisés en plumes d'autruche, je m'approche de la Paz. Je croyais la capitale
bolivienne perchée en nid d'aigle; elle
est cachée au fond d'un trou; vais-je
l'apercevoir derrière un pli de ces landes à peine enflées, dans un creux de
cette houle verte couleur de maté sucé?

LA PAZ

Sur le bord du plateau qui brusque-
ment s'effondre sous mes pieds, la Paz
apparaît au fond d'une cuvette. Il faut
une heure encore pour y descendre par
des chemins en lacets, puis par des ve-
nelles pavées de pierres que les pieds
nus des Indiens ont tellement cirées que
j'ai peine à ne pas tomber. La rue est
encombréc de lamas au sabot spongieux,
d'Indiens de la forêt vierge à longs
cheveux, de femmes conduites par leur
cacique, de marchandes de fourrures,
vigognes ou rats chinchillas. L'Illimani
dégage son sommet et, de toute la profondeur de cette vallée, il se hausse
au-dessus de la ville, d'un seul élan,
à près de sept mille mètres. Située sur
le chemin vice-royal qui allait de Cuzco

à l'Atlantique, la capitale bolivienne, de
loin, paraît reposer à plat au fond du
bassin aurifère mais, de près, elle est
toute en pentes et la place d'Armes est
seule de niveau.

|J'erre dans les ruelles au clair de lune,
par un soir soudain glacé comme ceux
de Castille où, comme on dit à Ségovie :
« Les coups d'air tuent plus d'hommes
que les coups de canon ». J'entre chez
Poznanski, l'éminent ethnologue de
l'Amérique du Sud. Il m'enseigne : il
m'apprend que le Lac Titicaca aux époques préhistoriques était beaucoup plus
étendu qu'aujourd'hui; une période gla-
cière en chassa les Indiens vers les climats plus chauds de l'Amazone et de
l'Orénoque, d'où ils remontèrent dans
la direction du Mexique et de l'Amérique
du Nord; c'est ainsi que l'art primitif
de Tiahuanaco se baroquisa en art maya.
Poznanski m'annonce qu'une île vient
d'émerger du Titicaca, où l'on trouve
des vestiges plus anciens encore qu'à

Tiahuanaco, et datant d'au moins douze mille ans avant Jésus-Christ.

A La Paz, les Indiens revêtent, pour certaines fêtes, des costumes que je vais voir fabriquer dans une des rues de la ville haute; carapaces d'argent plus pesantes qu'une armure, dans lesquelles ils sont cousus, engoncés comme des scaphandriers. Coiffés de plumes immenses, masqués d'argent, ces Indiens dansent en l'honneur de la Sainte Vierge, ou bien, dans le fracas des crécelles et des cymbales, ils esquissent des pas grotesques où sont singés les conquérants espagnols dont on copie les grandes moustaches et la barbiche. Le Vendredi-Saint, après la procession, s'engagent des combats à coups de fouet. Danses des Sikuris, amours dansés; survivance de fêtes païennes, fêtes du feu sacré, des travaux agricoles, au bruit d'instruments étranges, gongs, cloches, sonnettes de bois, de jonc, d'argile, grelots de coquillages, bambous bouchés pointillés de trous,

flûtes en os de pélican. Si l'Inca n'est
pas mort mais vit caché dans les forêts
de l'Orénoque d'où il reviendra un jour
visiter son peuple, il le trouvera ici tel
qu'il l'a laissé.

L'INCA

Cet étrange singulier encore usité dans
tous ces pays, indique que l'Inca n'était
pas un peuple ni même une race ou un
clan; si on en parle au singulier, comme
de Dieu, c'est parce que c'était un dieu,
une famille de dieux-rois, de bouddhas
vivants, issus d'un premier dieu *Manco-
Capac* qui, en compagnie de sa reine-
sœur, et revêtu comme elle de feuilles
d'or, descendit du Titicaca et fonda
Cuzco. Sortis de la fable, ses descen-
dants entrent dans l'histoire et instal-

lent sur une superficie de trois millions
de kilomètres carrés ce régime de
marxisme intégral qui paraissait une nou-
veauté séduisante et inouïe aux Européens des XVIIᵉ et XVIIIᵉ siècles (et même
à nous aujourd'hui sous sa forme mos-
covite), et qui n'était en fait, qu'un des
essais de communisme, dont l'histoire offre
tant d'exemples. Treize Incas, dont Roca,
grand conquérant et bâtisseur, Sesostris
indien, Veracocha législateur insigne, Pa-
chacutec, organisateur remarquable, rè-
gneront du Xᵉ au XVᵉ siècle de notre ère à
la tête de ce régime de fer, de cette vie
condensée, madréporique, qui supprima
la famine, le désordre, les luttes de
clans et porta la civilisation andine au
plus haut degré de prospérité. Mais à
quel prix!... Système fermé, atroce, que
l'Indien paya de sa liberté. L'Etat pré-
voyait tout, parait à tout, règlementait
jusqu'à la coupe des cheveux, la forme de
chapeau de chaque clan. Il y avait une
nourriture et des chaussures nationales.

L'Indien ne pouvait jamais fermer la
porte de sa case, ni voyager, sous peine
de mort. La religion d'Etat s'appelait
culte du Soleil. Les mariages étaient
obligatoires, l'Etat réglant les accouple-
ments et les naissances dans la mesure
des nécessités économiques; à cinq ans,
les enfants lui appartenaient. Le service de l'empire se résumait en une
vaste corvée; chaque homme portait un
numéro d'ordre. L'enseignement était
interdit au peuple, l'éducation, stricte-
ment ésotérique, étant réservée aux clas-
ses privilégiées, exemptées d'impôts et
de corvées. L'Etat avait tous les mono-
poles. Des richesses nationales, un tiers
allait à l'Inca, un tiers aux prêtres du
Soleil et un tiers était distribué indi-
viduellement aux guerriers, à titre de
récompense. L'empire se présentait
comme une vaste entreprise de conquêtes
et de travaux publics soutenu par une
armée de deux cent mille frondes et
piques, marchant au son de trompes de

terre cuite; le travail forcé, notamment
aux mines, qu'on a tant reproché aux
Espagnols, était un des procédés incas.
Le maïs et la pomme de terre étaient
standardisés; un village tissait; l'autre
se spécialisait dans les poteries. Organi-
sation parfaite de la production et de la
répartition. Prodigieuse termitière admi-
nistrative en forme de pyramide; des
armées d'inspecteurs, de fonctionnaires
du cens, de statisticiens, de collecteurs
de taxes, de chefs de centuries et de dé-
curies enfermaient le pays dans un réseau
étroit de surveillance. M. Louis Baudin,
dans son beau livre sur l'*Empire socialiste
des Incas*, explique comment tout le système reposait sur une science statistique
incomparable, condition préalable de toute
répartition des richesses; les machines
à compter étaient des *quipus*, cordes
dont la couleur symbolique indiquait
la nature des objets comptés, et les nœuds,
les chiffres.

On s'est souvent demandé comment

Pizarre et ses cent quatre-vingts hommes
purent s'emparer, sans coup férir, d'un
si vaste empire. D'abord, les rivalités
entre les deux frères, Atahualpa et Huascar, pour l'héritage d'Huayna Capac,
ouvraient des fissures dans ce grand
bloc, mais surtout le communisme inca,
si efficace au début, avait fini par devenir une bureaucratie tellement centra-
lisée, que les conquérants n'eurent qu'à
bloquer le bulbe, qu'à s'emparer de
Cuzco, pour paralyser aussitôt toute la
machine. Il semble que l'homme ne puisse
choisir qu'entre deux systèmes, politique ou économique : laisser grandir la
cellule initiale, la famille, le clan ou
la tribu, — et c'est tôt ou tard la féo-
dalité ou l'anarchie; — briser l'alliance
du sang, le village, et constituer d'immenses groupements, bientôt trop chargés au sommet et c'est l'écroulement
subit. Ainsi douze millions d'hommes,
du Chili à l'Equateur, sans initiative
nationale, privés de chefs furent con-

quis en quelques mois. Pizarre, gardeur de pourceaux, est le héros latin individualiste, vainqueur de l'anonyme, le chevalier européen écrasant l'hydre asiatique du collectif. Tandis que l'Inca pacifique pratique la non-résistance au mal, Pizarre lui prend son empire. Les statistiques avaient tout prévu, sauf l'arrivée des Espagnols. De tristes surprises attendent les pays fermés et qui se croient, comme le Pérou inca, à eux seuls « les quatre parties du monde ».

CUZCO

A Juliaca, je prends le chemin de fer sud du Pérou, ligne anglaise, merveilleux travail d'art. Trois cents kilomètres de voie ferrée dans le désert aboutissant, ô surprise, à de la verdure, des peupliers, des cultures, autre chose enfin que des agaves et des cactus-cierge. Ce long ravin entre les deux Cordillères, unit l'Equateur au Chili. C'est la coulée naturelle qu'utilisèrent les invasions, par dessus les barrières sédimentaires, les murs de schistes, les forteresses d'ardoise, les tours de quartz des rocs volcaniques percés de cavernes et des montagnes de fer ou de cuivre, ornées de glaciers cristallisés se découpant sur le ciel dur, où passent des nuages, bouclés comme des perruques.

Au fond d'une vallée plus fermée qu'un confessionnal, voici Cuzco, le « nombril » de l'Amérique et sa plus vieille ville. J'aperçois les damiers réguliers qui, pareils aux tracés chinois, permettent de retrouver le plan initial du camp, cher aux nomades. Cuzco est une cité secrète, austère, où les Catholiques ont perpétué sans le savoir la tradition et l'atmosphère des Incas. Une civilisation s'est superposée à l'autre, comme en témoignent les

maisons dont les lourds soubassements
sont en cubes de granit joints à angles
vifs, sans ciment, avec un art admirable
de sertisseur, et dont la superstructure
toute ajourée est espagnole. Il faut avoir
erré la nuit dans ces rues étroites, touché
de la main ces blocs cyclopéens, pour
comprendre comment l'architecture inca,
décapitée par l'art jésuite, a connu
le même sort qu'en Europe les ordres
antiques, dévorés par les ornements à
l'italienne. Contrastant avec la simplicité
autochtone, l'art baroque s'extravertit à
Cuzco, s'exaspéra sous le renchérisse-
ment servile des artistes métis. Ce ne
sont que cloîtres, coupoles, églises et
couvents, rues parfumées d'encens, avec
des reposoirs aux carrefours, des croix
drapées de suaires. Mais sous ces façons
latines, on retrouve partout le style, implacable et sans fenêtres, de l'américain
primitif.

Cuzco était le nœud des routes incas,
admirables chaussées bétonnées, dont

beaucoup subsistent où le souverain voya-
geait en litière d'or; et aussi le centre
d'un réseau serré d'irrigations, comme
d'un système capillaire perdu dans le
paysage granitique. Le Cuzco aux murs
d'argent, aux toits d'or, adorant le temple
du Soleil et de la Lune, s'est enfoncé
sous les palais que Pizarre et ses capitaines
se taillèrent dans les demeures des nobles
incas, *gente de gran ser,* comme dit le chroniqueur Garcilasso dont la charmante maison rose porte encore la date de 1540.
L'église Santa Catalina a poussé sur les
fondations du grand Temple, la cathédrale, sur le palais de Viracocha, l'Université, sur celui d'Amaru Kaucha. De
vieilles demeures don quichottesques
avec leurs balcons noirs, leurs fenêtres
où rougissent des géraniums à travers les
barreaux de bois tourné, leurs patios où
une fougère évoque la non-lointaine forêt-
vierge, foisonnent au-dessus des murs
cyclopéens. Les places à arcades, les miradors, l'avancée des balcons alourdis de

ferronneries font ressembler certaines
rues de Cuzco à la Kasbah d'Alger ou au
Tanger des peintres romantiques. Les
flots de sang qui la noyèrent, les cris, les
meurtres, les tortures, les pillages, tout
s'est endormi maintenant dans la tran-
quillité d'une petite ville castillane à maisons praline, à portails bleu pâle, pistache,
dont les grandes portes pareilles à des
arcs de triomphe, aux battants piqués de
ces gros clous que les Espagnols nomment « moitié d'orange », s'ouvrent à
l'orientale sur des cours intérieures successives qui allongent des perspectives
striées de jour et d'ombre. Dans les rues,
les marchands sont rangés par commerce,
comme au moyen âge, et les troupeaux
de lamas s'y promènent indolemment
buvant aux fontaines publiques, tandis
que les Indiens portent, comme des atlan-
tes pliant sous le faix d'une corniche,
quelque meuble énorme soutenu par une
sangle qui leur passe au front.

Dans cet art colonial tout est prodi-

galité insensée. Sur l'immense place entourée de portails sculptés comme des
châsses, la grande cathédrale de Cuzco
est si précieuse qu'on l'a posée sur un
socle à gradins. Je pénètre par la vaste
porte où s'agite un sacristain qui refoule
les troupeaux de lamas prêts à s'y engouf-
frer. Sur un fond de ciel bleu se détachent les voûtes de l'église aux grosses
nervures, gothiques encore, et selon
la tradition qui, de France s'étendit à la
Catalogne, à l'Aragon et au Nouveau
Monde. Soudain je m'abandonne au
goût pervers du rococo; j'admire sans
retenue le maître-autel, haut édifice rocaille d'argent battu où un baldaquin de
vieux velours incarnat gansé d'or est sup-
porté par quatre groupes de quatre colonnes d'argent; il abrite le Christ noir
dont le buste colonial sort d'une robe de
soie blanche; le flanc sacré saigne
comme la blessure d'un caoutchouc; le
visage ruisselant, sous les piquants d'or
de la couronne d'épines, les doigts san-

glants cloutés de diamants énormes, en
font un Dieu rastaquouère. Les Indiens
prient; foule agenouillée. Des *cholas* en
voilette et en châle, à l'ancienne mode
espagnole, des paysans à longs cheveux
plats et noirs, le chapeau pendu derrière
le dos par un cordon, leurs pieds nus
dans des mocassins taillés dans de vieux
pneumatiques, leurs yeux chinois fermés
à demi, luisant à travers une fente de la
peau tendue, se prosternent ou élèvent
vers leur Dieu étranger des figures éma-
ciées et tristes qui contrastent avec ces
entablements pris de folie, ces courtines
agitées par un vent invisible; leur calme
s'oppose au tourment des draperies, leur
immobilité aux contournements des as-
sises, leur pauvreté, au luxe des coffres
entrevus dans la sacristie, des mille effi-
gies d'évêques, des armoires pleines de
chasubles précieuses, de vases sacrés, de
reliques. Les chapelles latérales sont bar-
rées par des grilles d'or pliant sous le
poids du métal, qui ont joué et ne ferment

plus que par des cadenas de prison. Je
circule en me bouchant le nez parmi les
fidèles qui joignent les mains devant des
tableaux hiératiques d'argent en bosse...
(jadis, le voyageur arrivant à cheval, sen-
tait l'odeur de la ville deux lieues à
l'avance). De chaque côté du maître-
autel, un grand miroir baroque penché
réfléchit mille cierges, mille hyperboles
embrouillées. La cathédrale de Cuzco est
le centre idéal de la Nouvelle Espagne;
dans son rutilement de flammes et de
métaux, elle remplace le Temple du Soleil et mérite comme lui d'être appelé
« le lieu de l'Or ».

La Place d'Armes de Cuzco est entourée de vieilles maisons coloniales coupées
parfois d'un souvenir inca, quelque porte
trapézoïdale, quelque pan de mur ana-
chronique. De cette place aux arcades
bleues, où la blanche *Compañia* s'entourait jadis de chaînes d'or, selon la descrip-
tion d'un contemporain, Cieza de Léon,
j'aperçois au-dessus d'un bois d'euca-

lyptus, la vieille forteresse inca, dos à ces
Andes dont les sommets sont mitrés
comme un concile. Aux époques où mou-
rait le fils du Créateur du monde, c'est
sur cette place que le Grand Prêtre du
Soleil, debout, face au soleil, élevait des
deux mains vers le Dieu un bol plein de
maïs fermenté. Des processions portant
des idoles d'or massif et les momies accroupies des aïeux, exhumées pour la
circonstance, tournaient autour de la
place, traînant les lamas, émissaires des
péchés de la nation, et suivies d'astrolo-
gues, de flagellants, de jeunes gens pu-
bères aux oreilles récemment perforées,
de danseurs masqués d'argent et de
moines castrés. Ces danses, Garcilasso
de la Vega, le chroniqueur métis, fils d'un
Espagnol et d'une princesse inca, les a
vues et les a décrites dans ses Chroniques
dont je possède une première édition,
cadeau de Poznanski; et moi-même j'eusse
pu les voir encore en Bolivie où les Indiens ne les ont pas oubliées. C'étaient

les danses de la lance, celles de la flagel-
lation, et celles de l'initiation, où des
jeunes lévites en longues robes piétinaient
rythmiquement, comme les circoncis
d'Afrique. Le régime inca avait en commun avec Moscou, outre le marxisme,
le goût des spectacles de propagande.
C'est pendant une de ces danses et sur
cette même place que les Espagnols firent
grand massacre d'Indiens, après la prise
de la ville. Dans un fracas de cuissards
choqués, de jambardes défoncés, de gor-
gerins arrachés, de cris, d'arquebusades
et de plaintes dernières, commença le
sac de ce Cuzco aux quatre cents temples,
« dont chaque rue, chaque forteresse,
chaque pierre, écrit un chroniqueur, était
considérée comme un mystère sacré ».

Au cœur de la cité, sous l'église de
Santo Domingo, si l'on gratte le vernis
dominicain, on trouve le Temple du
Soleil, cœur de Cuzco et de l'empire inca.
Le temple occupait au XVIe siècle tout
un quartier ceint de trois murailles, dans

lesquelles étaient enclos quatre édifices
recouverts d'or et d'argent, assez semblables au temple de Salomon, avec jardins, logements pour les prêtres, étables
pour les victimes et chambres à sacrifices. Les Dominicains à éperons s'em-
parèrent, il y a quatre siècles, de ce lieu
sacré, et ne l'ont pas lâché depuis. Il n'en
reste aujourd'hui que le Saint des Saints.
Un jeune Dominicain négroïde m'intro-
duit dans le sanctuaire du Soleil, au point
même où le dieu placé face à la porte
ouverte, recevait chaque jour la visite de
l'astre qui faisait étinceler ses statues
d'or. Les murs que je touche, légèrement
inclinés, aux angles adoucis, disparais-
saient sous les plaques d'or, et les bancs
étaient vraiment pavés d'émeraudes,
comme dans *Candide*. Du temple de la
Lune, il subsiste tout juste un parloir,
semblable à tous les parloirs de couvent,
avec son mobilier louis-philippard, ses
appuie-tête au crochet et ses vases de
Sèvres, étrange contraste avec les mu-

railles à pierres exactement appareillées,
où les niches étaient réservées pour l'idole
d'or faite des larmes versées par le Soleil.
On cherche en vain la trace des autres
temples consacrés aux planètes, aux
étoiles, à l'arc-en-ciel.

Après avoir gravi les terrasses de Col-
campata « jadis blanches de moutons »,
écrit Prescott, j'erre dans un bois d'eucalyptus où je découvre, près de l'église
San Cristobal, dans le jardin d'un négo-
ciant italien, de simples pans de murs
aux pierres si belles, d'une symétrie si
simple, d'une grandeur si noble, d'une
matière si dure et si douce que je ne me
lasse pas de les toucher, heureux de trouver un style d'architecte et non plus
d'orfèvre. Merveilleuse ébénisterie de
pierres, que ni les tremblements de terre,
ni les boulets, ni le temps, ni la haine
espagnole n'ont pu entamer; assemblage
unique de blocs encastrés par angles
rentrants dans les blocs voisins, si exactement qu'une lame de rasoir ne passe-

rait pas entre eux. Pierres étroitement
jointoyées par ces hommes qui ne connaissaient ni le fer ni l'acier et dont les
seuls outils étaient quelques morceaux
de bois mouillé introduits dans les trous
des pierres, pour les faire éclater, un peu
de poussière de roche et le jus de certaines herbes, avec quoi ils finissaient
par couper ces monolithes et leur donner
le poli.

C'est d'abord ce plaisir qu'on prend à
toucher la pierre qui me fait admirer l'aire
de l'aigle inca dominant Cuzco de trois
cents mètres, la forteresse de Sachsahuaman, qui, avec Ollantaytambo, où se
retira en combattant l'Inca Manco, est
le seul vestige relativement intact de leur
architecture militaire. Sachsahuaman vit
le dénouement du siège, quand le dernier
Inca revint sur Fernand Pizarre et l'enferma
dans Cuzco, comme fut enfermé Cortez à
Mexico lors de la *Nuit triste*, ou Gou-
raud dans Fez en 1911. Sachsahuaman,
masse militaire toute hérissée d'angles

saillants, offre à la vue trois murs paral-
lèles, farouchement entassés, disposés de
telle sorte que les assaillants devaient se
présenter de flanc. Le mur le plus beau
est le premier, avec sa ligne brisée d'éperons successifs, pareils à des rostres cui-
rassés. L'ensemble forme un gâteau de
granit, face à la colline jumelle du Roda-
dero où la disposition des rochers a
permis aux Incas de creuser des gradins,
des bains, des sièges, des fauteuils, des
piscines et même des glissières pour les
jeux d'enfants. Assis sur le trône massif
et carré du Dieu Soleil, dont les lignes
sommaires rappellent nos fauteuils de
studio, je contemple à mes pieds Cuzco
bâtie selon le dessin de son totem : un
condor dont chaque penne serait une
rue et qui aurait pour tête Sachsahuaman.

TRÉSORS INCAS

Cette forteresse était reliée au Temple
du Soleil par des souterrains qui existent
encore : là serait enfoui le trésor des Incas;
sous ces blocs de pierre de vingt tonnes,
transportés et maniés comme des cailloux,
il y aurait des chambres pleines de métaux
précieux. Car l'or n'a cessé d'inspirer l'histoire du Pérou, depuis le jour où, à Tumbez,
Pizarre le flaira pour la première fois.
Cet or, pour les Incas, n'était même pas
une monnaie, mais un métal comme un
autre, de valeur purement décorative et
symbolique, qu'on n'aimait que parce
qu'il avait la couleur du soleil. Pizarre,
incrédule, examina longuement un épi
d'or d'une exécution parfaite; longtemps
aussi il fit jouer la lumière à travers un
disque d'émeraude que l'Inca avait ravi

jadis au grand Chimu, dans une expédi-
tion côtière. Ce jour-là, Pizarre n'en voulut pas voir davantage. Il retourna aussitôt à Panama, puis en Espagne où il alla
conter la merveille à Charles-Quint. En
1532 il revint au Pérou et débarqua en
force à Tumbez d'où la population avait
fui avec ses trésors; il fallut la suivre;
Pizarre avança dans ces vallées de plus
en plus profondes; la faim ni la tempête
ne purent l'arrêter. Devant ses hommes
hésitants, il tirait son épée, et, traçant
une ligne sur le sol, leur montrait au nord
Panama, enfer stérile et fiévreux, au sud
le Pérou, comblé de richesses. Prescott
et tous les chroniqueurs espagnols ont
raconté cela; Atahualpa, le dernier souverain inca, tzar faible et superstitieux,
fait prisonnier à Cajamarca, s'engagea
pour prix de sa rançon à remplir d'or
la chambre du soleil, jusqu'à la hauteur
qu'atteignaient les rayons de l'astre. Tout
de suite, l'or commença à affluer des
provinces, car l'Inca tenait parole. Mais

Pizarre n'attendit pas que les trente-deux
mille onces promises fussent arrivées;
peut-être craignait-il quelque trahison?
En tous cas il fit étrangler Atahualpa.
Aussitôt, par un contre-ordre aussi mys-
térieusement rapide que l'avait été l'ordre
du malheureux roi, les trésors provinciaux
qui s'acheminaient vers Cuzco s'arrêtèrent
et disparurent, précipités au fond des
lacs ou cachés dans les montagnes..... Le
Pérou garde encore ce secret que les tortures de l'Inquisition ni le garrot, serré
par la même main qui tendait le crucifix,
ne réussirent à arracher aux Indiens.
Pizarre dut se borner au pillage : les
statues d'or pesant plusieurs tonnes, la
vaisselle d'or, les arbres d'or du Temple
et les oiseaux d'or qui chantaient, les
serpents et les sauterelles d'or, toute la
nature commentée en matières précieuses,
et les colliers d'émeraude de l'Inca com-
posés chacun de cinquante-deux pierres,
plus grosses que des œufs de pigeon,
furent donc entassés sur la grand'place

de Cuzco. Mais ce qui échappa aux Espagnols dépassait sans doute de beaucoup le butin qu'emportèrent les galions.
Des deux millions trois cent mille kilos
expédiés du Pérou à Séville et à Madrid,
de ce drainage prodigieux, il ne devait
rien rester.

« Je te tuerai avec un pistolet d'or, une
balle de cristal », dit la chanson inca.

Malgré les envois de Christophe Colomb, Ferdinand le Catholique mourut
si pauvre qu'il n'y eut pas de quoi vêtir
son domestique aux funérailles royales.
Et les embarras financiers de Charles-
Quint sont connus. Les millions fondirent
en guerres ruineuses. L'or conquis par les
armes ne sert qu'à payer d'autres armes
pour le défendre. Aujourd'hui la Federal
Reserve Bank et la Banque de France
ont hérité des trésors de l'Inca, car l'or
est un métal très voyageur. On a pu croire
un moment que le crédit le supplanterait,
mais notre époque réaliste voit s'accroître
son prestige; les mines de Pérou et de

Bolivie, hier abandonnées, sont aujour-
d'hui reprises par les Yankees et l'on
rafle à Londres jusqu'aux vieux dentiers !
Tandis que Village Deep et City Deep
continuent au Transvaal leur exploitation
intensive à la machine, tandis que du
fond de l'Inde thésaurisatrice commencent à sortir les bijoux, les anciens gise-
ments d'Alaska, de Californie, offrent à
nouveau leurs placers à l'exploitation indi-
viduelle; aujourd'hui les mineurs américains arrivent en avion à Denver, en Oregon
ou en Idaho et des compagnies se fondent
pour rechercher au fond des océans les
épaves des grands paquebots naufragés.

MACCHU-PICCHU

Lorsqu'ils eurent renoncé à fléchir le
cœur castillan, eux qui pourtant triom-
phaient des pierres les plus dures, de

l'agathe et de l'onyx, et qu'ils eurent été
définitivement écrasés en 1545, à coups
de pertuisanes et de crosses d'arbalète,
les Incas s'enfuirent vers le Nord, où
Pizarre ne les suivit pas. Ils étaient partis
avec leurs prêtres, leurs vierges sacrées,
les prétoriens aux longues oreilles, et
ce qui restait des trésors, vers la grande
sylve amazonienne. Personne ne les avait
revus. Cependant, le bruit courait que la
forêt cachait une forteresse de granit
blanc; le voyageur français Wiener, qui la
mentionne dès 1875, ne put la découvrir,
mais en 1850, des savants situèrent ses
ruines dans la vallée de l'Urubamba, et
c'est en 1911 que l'Américain Bingham,
s'avançant entre les monts Veronica et
Salumpunca, découvrit, enfouie sous les
lianes, la citadelle de Picchu-Macchu.

Soleil, on a détruit tes superbes asiles,
Il ne te reste plus de temple que nos cœurs,

chantent les Incas des *Indes Galantes;* cet

asile, que les siècles seuls ont détruit, il est facile aujourd'hui d'y accéder grâce au chemin de fer en cours de construction de Santa Ana. Nous partons au petit jour, par un froid très vif, dans une Ford sur rails, car il n'y a de train que deux fois par semaine. Cette curieuse machine progressait, tantôt en marche avant et tantôt en marche arrière, présentant dans les deux sens des phares et des chasse-neige, ou plutôt des chasse-troupeaux, car le bétail dédaignant un cheminement pénible sur la vieille route inca préfère voyager sur le ballast. Nous laissons derrière nous Cuzco, dont les cheminées fument sous le brouillard rose du matin, et au bout d'une heure, nous arrivons dans une sorte de Normandie où paît un cheptel gras parmi les peupliers et les eucalyptus. La température s'adoucit, bientôt le lama disparaît et nous entrons dans une vallée qui, progressivement, se resserre. A nos côtés court un mince ruisseau, une cressonnière plutôt; deux heures plus tard

on pourrait encore le sauter à gué, mais
à la fin de la matinée, c'est déjà un gros
torrent. Pour le moment, il hésite encore
entre les deux versants : Pacifique ou
Atlantique, mais bientôt il se décidera
pour une longue et magnifique carrière
et un jour ce filet d'eau aura deux cents
kilomètres de large.

A mesure que nous descendons, les
fermes de terre battue font place à des
villages de roseaux. Les indigènes ont
quitté le lourd costume de laine des hauts
plateaux et vont presque nus. Un peu
plus loin, à flanc de montagne, nous aper-
cevons la forteresse d'Ollantaytambo dont
les hautes terrasses aux escaliers de lave
encore intacts strient l'horizon comme
les gradins d'un stade. D'énormes monolithes ont été transportés là, venus, —
on ne sait comment —, du Chimborazo,
en Equateur. Une mousse vert-de-gris,
pareille aux étranges mousses espagnoles
de la Louisiane, pend aux roches comme
des toiles d'araignée emmêlées et pare

chaque anfractuosité d'une barbe verdâtre. Le printemps vient à notre rencontre. Les arbustes bourgeonnent; au
bout de chaque cactus, comme une fleur
de lys, s'allume une flamme blanche; à
l'extrémité de chaque raquette des figuiers
de Barbarie pointe une goutte de sang.
Abritée par les gros blocs de serpentine,
commence la végétation tropicale. Un
bananier téméraire, en avant-garde, laisse
pendre, comme des laitues cuites, ses
feuilles roussies par le froid trop vif de
la nuit précédente. Nous longeons le torrent
boueux qui grandit sans cesse, saute les
rocs, entraîne des cailloux porphyriques :
le petit rivelet de Cuzco est devenu l'Urubamba; plus tard il s'appellera l'Ucayali;
après avoir reçu un certain nombre d'affluents, ce sera le célèbre Marañon... et
tout finira par l'Amazone.

Je lève la tête; les sommets m'écrase-
raient s'ils n'étaient cachés par les nues,
mais parfois elles s'écartent comme des
portes à glissières et la neige éclatante

apparaît si haut qu'il faut renverser la tête pour l'apercevoir. Silence que trouble seul, parfois, l'écho d'une pierre qui roule; je passe avec surprise la main sur ma peau qui n'est plus parcheminée, mais humide, sur mes lèvres qui ne sont plus sèches; la grande oppression des hauts plateaux a disparu et j'ai à nouveau au-dessus de la tête une colonne d'oxygène de pression normale. Le long de ce mur de porphyre, des ânes bâtés s'aplatissent contre la paroi pour nous faire place. Nous sommes maintenant à cent soixante kilomètres de Cuzco, au cœur jadis inaccessible des Andes. Massif abrupt où la végétation tropicale nous offre son épaisse toison creusée, çà et là, par des précipices de granit. Les premiers arbres à feuillage noir, non caduc, contrastent avec la dernière neige du Salcantay. Ici s'arrête le chemin de fer. Nous longeons à pied le ballast, au bord d'un des soixante-dix rapides que compte l'Urubamba et, au premier village, nous faisons des provisions que nous chargeons sur un vieux cheval blanc.

De la grande vallée, arrivent des petits ânes qui, sauf leurs quatre sabots et leurs deux oreilles, disparaissent complètement sous des fagots d'un bois rougeâtre et amer : c'est « l'écorce des écorces », celle de l'arbre indien *quina-quina*. La quinine du Pérou tropical est la meilleure avec celle de l'Equateur. Les Indiens connaissaient fort bien l'usage de l'arbre à fièvre, mais se gardèrent d'en parler aux Espagnols; c'est en observant des pumas malades qui léchaient cette écorce, — (de même, le *boldo* chilien, spécifique des maladies de foie, était connu des chiens bien avant qu'il le fût des hommes), — que les Européens comprirent sa propriété fébrifuge. Les Jésuites expédièrent à Rome dès le XVIIe siècle, de grandes quantités de quinine connue sous le nom de «poudre des Jésuites ». Malgré l'opposition de la Faculté, très hostile jusqu'au début du XVIIIe siècle, la quinine s'imposa; sous la

Régence, ce fut un engouement que rappellent des vers, d'ailleurs médiocres, de La Fontaine à la duchesse de Bouillon :

...Le quina s'offre à vous, usez de ses trésors...
. . . .
Combien a-t-il sauvé de précieuses têtes,
Nous lui devons Condé . . . .
. . . .
Et toi que le quina guérit si promptement
Colbert, je ne dois point te taire . . . . . .

Jussieu, La Condamine, envoyés par le roi de France au Pérou, tentèrent en vain d'isoler le principe de la quinine et ce n'est qu'en 1820 que Pelletier et Caventou réussirent à en tirer l'alcaloïde guérisseur.

Sur un pont-hamac (si l'on peut nommer pont l'étroit passage tremblant, sans garde-fou, fait de fagots suspendus dans le vide), nous franchissons — cheval en tête — l'eau écumante. Je pense à ces ponts de cheveux des légendes incas, où défilaient les morts. De l'autre côté, il n'y a plus de routes et la montée commence, ascension harassante dans le sousbois étouffant, par des sentiers hérissés de rochers, où le guide et les gamins doivent nous frayer un passage à coups de bâton, à travers les lianes et les branchages. Pour souffler, je retire mes vêtements l'un après l'autre, je pose à terre mes bagages, comme ces pierres trop lourdes que les Indiens eux-mêmes ont abandonnées en route et qu'on rencontre parfois, perdues dans la campagne, sous le nom de « pierres fatiguées ». Notre vieux cheval est fourbu, ses jambes tremblent, sur sa croupe plus osseuse que les Andes, je casse en vain cinq houssines. Voici enfin les premières terrasses qui ressemblent à celles du littoral méditerranéen. Au fond de la vallée, dans le *canyon* couleur d'acier que traverse le mince fil du pont d'osier, les rapides de l'Urubamba aux eaux mousseuses ne semblent plus qu'un ruisseau. De tous côtés, les falaises à pic de huit cents

mètres de hauteur nous enferment. On
comprend que tant de voyageurs aient
pu venir jusqu'ici, sans se douter de la
proximité des ruines. Nous prenons pied
sur la crête. Toute la jungle a été déra-
cinée, brûlée par les fouilleurs et nous
voici devant la porte principale de la
ville, monolithe que fermaient, comme
le verrou chinois, des poutres transver-
sales. De là s'élevaient vers les temples
des rues en escaliers.

Macchu-Picchu me déçoit : ces restes
de palais, ces pans de murs écroulés
ressemblent aux débris des cabanes de
Menton ou d'Eze; leur granit n'est pas
blanc, mais gris; tout cela est confus, sans
architecture et sans style; à aucun moment, on ne ressent cette horreur sacrée
qui se dégage des temples mexicains.
C'est ici que se réfugièrent les derniers
Incas, ici que, loin des Espagnols, les
dernières vierges de sang impérial se con-
sumèrent lentement, sans descendance,
(on a retrouvé plus de mille squelettes de

femmes), et que les grands prêtres destitués, regrettant les grasses offrandes, durent se nourrir de perroquets. Sous le sol est enfouie, dit-on, la grande chaîne d'or de Huascar, longue de deux cents mètres. Palais des Rois, Maisons du Clergé Solaire, Tour des Princes, Place sacrée, Temple des trois fenêtres, forment malgré leurs noms prestigieux, un ensemble beaucoup moins émouvant que celui des Baux. La situation seule est incomparable. Elle fait penser au *Pizarro* de Sheridan : « A wild retreat among stupendous rocks ». Le petit Pichu élève sa cime à trois mille mètres en face du pain de sucre de la Media Naranja, pareil à un crâne déformé d'Inca.

VERS LIMA

A l'heure dite, notre avion apparaît, trait d'argent à l'horizon; l'instant d'après

il s'est posé et nous enveloppe de sa poussière. Au-dessus du paysage tordu comme
du cuivre brut, il nous enlève dans le
soleil vertical qui creuse les ombres, ne
laissant au pied de chaque arbre qu'un
minuscule bâtonnet. Emportés à nouveau
par dessus les monts de métal d'Arequipa
dans la pampa de Arrieros, pays en pâte
de fer refroidie, lingot figé, cendres
vitrifiées, nous mettons le cap sur Lima;
derrière nous, un désert de sable descend
vers la mer, où les dunes en forme de
croissant creusées régulièrement par le
vent qui souffle toujours du même côté, se
répètent avec la monotonie d'une décoration de papier mural. A cinq heures du
soir nous serons arrivés. Par mer, nous
aurions mis deux jours.

Chaleur implacable de midi; à l'ombre
des longues ailes d'argent, comme sous
une tente dressée en plein désert du ciel,
nous avançons, fortement secoués, frô-
lant de nos roues les profils acérés des
sommets. Tout le paysage est calme,

ineffablement bleu et rose; rien d'épais,
rien d'humide, aucune pénombre, tout
s'affirme dans cette atmosphère dilatée
et pure. Une heure encore et le Pacifique
grandit à notre approche de toute son
immensité bleue, bordée d'une écume
de petits nuages. Les manomètres inté-
rieurs qui tiennent le passager continuelle-
ment informé, indiquent 9.000 pieds et
120 milles à l'heure.

Nous voici survolant maintenant des
montagnes verdâtres recouvertes d'une
herbe rase, pareille à cette mousse collée
sur les forts des soldats de plomb. Pas
un être vivant depuis Arequipa. Derrière
nous, les hauts plateaux andins forment
un immense entablement écarlate. Un
moment, nous nous arrêtons sur le plus
grand champ d'atterrissage que j'aie jamais vu, — cinquante kilomètres de tour
sur un sable absolument plat, — puis,
je vois à nouveau courir notre ombre
apode au-dessus de l'unique route. Le
ciel ressemble au sol, et sur l'immensité

inutile et terrible de ce désert de cendres,
rien ne vit que nos hélices et que les gou-
pilles tremblantes autour des carters d'argent.

A Pisco, nous descendons faire de
l'essence et recueillir une famille péru-
vienne en deuil, avec enfants et nourrices.
Tout ce monde s'installe dans l'avion
comme dans un omnibus, et à peine
sont-ils assis que nous voilà déjà à mille
mètres. Un passager qui donnait des
signes d'impatience, s'est enfermé dans
les W.-C. pour y fumer, juste au-dessous
du réservoir d'essence; nous protestons
à coups de pied dans la porte, mais il
fume, apaisé, et refuse d'ouvrir. J'aperçois la mer, ponctuée de milliers de taches
blanches : ce sont les oiseaux à guano.
Ils suivent de longues traînées, pareilles
à de la sciure, et qui sont des bancs de
poissons. Se jouant sur cet océan effec-
tivement pacifique, cormorans blancs et
noirs à long cou, pétrels, pélicans gris,
dévorent les petits anchois amenés du

Sud par le courant de Humboldt. Si le courant entraîne leur pâture au large, les oiseaux le suivent, abandonnent leurs îles, ces rochers à guano, richesse du pays, et parfois ne reviennent plus. La fiente de l'oiseau n'est pas meilleure ici qu'ailleurs, mais, comme il ne pleut jamais, elle s'entasse, durcit et peut être exploitée en carrière.

Nous approchons de Lima; le radio me passe un message; c'est un interview qui m'est demandée par un journal de la capitale :

— Que pensez-vous des femmes?

Je réponds dans le même esprit :

— A neuf mille pieds, je ne puis distinguer les sexes.

LIMA

Voici maintenant des champs de cannes à sucre, mêlés à des bananeraies. C'est le

Pérou gras après le Pérou maigre. Nous survolons l'île de San Lorenzo, le rocher de Callao, port de Lima, avec ses oiseaux de mer, ses veaux-marins, ses phoques. Terre ravagée par des raz-de-marée si violents que les bateaux se retrouvaient, dit-on, à la place des maisons. Tschudi prétend que le premier port de Callao, aujourd'hui détruit, dort au fond de l'eau; les vieux marins affirment qu'on y peut voir des gens assis devant leur porte et, qu'en prêtant l'oreille, on entend le chant du coq monter des profondeurs...

Voici Lima; je lis son nom sur l'herbe de l'aérogare, en lettres blanches. Lima, dans la vallée du Rimac, au pied des montagnes de Chorillos, au fond d'un amphithéâtre de cendres grises. Lima, bâtie avec la sueur et le sang des Indiens. Cité des rois, *Cindad de los Reyes*, comme la baptisa Pizarre en 1535, ville orientale, aux maisons en terrasses, aux miradors, aux boulevards fleuris... Notre grand *Santa Rosa* qui plane comme sainte Rose

de Lima dans ses extases, descend à côté
du *San Pablo;* depuis qu'il nous débarqua
à Arequipa, le *San Pablo* a fait trois
voyages jusqu'à Buenos Aires. Nous atterrissons à l'aérodrome de Miraflores, entre
des villas fleuries de géranium-lierre.
Nos amis nous regardent plonger vers eux,
comme les Israélites regardaient tomber
du ciel les cailles lourdes de graisse.

Lima, fondée le jour de l'Epiphanie, a
la forme d'une galette des Rois. Sous le
ciel d'hiver, brumeux, et qui ne s'éclaire
qu'après midi, c'est une capitale acces-
sible, sociable, contrastant avec l'humeur
moyenâgeuse de Cuzco. Sur la Place
d'Armes, s'élève le Palais de la Munici-
palité où logea Pizarre. C'est là que,
tombant égorgé, il put encore dessiner
de son sang sur le plancher une croix et
la baiser avant de mourir, comme dans
les mélos 1830. La place est surélevée du
côté de la cathédrale; je gravis ce prosce-
nium pour entrer dans l'édifice ocre dont
Pizarre posa la première pierre en 1540

et où il dort. Dans un cercueil de marbre blanc, j'entrevois son squelette comme un fagot de racines de bruyère et sa tête de rechange, raccommodée avec du fil de fer.

Lima n'est plus dévote, mais elle est restée cléricale; elle compte soixante-dix églises, dont les tours, les clochers, les toits élevés, les frontons tourmentés jaillissent entre les maisons basses : Santo Domingo, la Merced, San Francisco de Paula, San Pedro, San Sebastian, San Marcelo, San Francisco, couvents, cloitres, béguinages, chapelles et collèges de « donzelles ». L'église de San Francisco, avec ses colonnes torses, ses richesses feuillues, ses consoles rocaille, ses frontons fleuris, son portail fou, ses moulures extravagantes, enserrées comme par un remords de l'architecte entre deux austères surfaces de granit, ouvre sur un cloître vert d'eau où bruissent dans le silence, les feuilles des palmiers royaux, au sommet de leurs stipes. On trébuche sur le haut relief des pierres tombales.

Dans la sacristie, les fenêtres de bois
grillagées laissent passer un ciel avare
qui éclaire au plafond les caissons de
cèdre travaillé au feu. De grandes coquil-
les rococo, blanchies à la chaux, bru-
nissent sous la patine de l'encens et
des braseros. Le vin de messe luit dans
un cristal taillé. Aux murs, des cardinaux écarlates. Sacristies de Lima, déver-
soirs illimités des sous-produits des Cara-
vage et des Carraches, des Riberas plus
blêmes que nature, de toute une pein-
ture de moines « licenciés » et de ton-
surés napolitains, dont Charles-Quint se
débarrassa en les envoyant en Amérique...

Cet édifice, qui paraît immense, n'est
que le reste d'un grand couvent de
deux mille réguliers qui compta jusqu'à
huit, neuf et dix cloîtres. Parfois, au
détour d'un corridor, on débouche sur
un escalier dont le plafond à coupole
creuse est la réplique des plafonds géo-
métriques des mosquées; on se perd
dans les escaliers étroits pratiqués dans

des murs de huit pieds d'épaisseur. Silence d'outre-tombe, images de sainteté brûlantes et rigides dans des cadres d'argent, lourdes lampes d'orfèvrerie, aussi chargées de métal que celles du Saint Sépulcre orthodoxe.

Le palais *Torre Tagle*, aujourd'hui Ministère des Affaires Etrangères, est la plus belle maison coloniale de l'Amérique du Sud. Palais du XVIIIe andalou, chaux blanche où ressortent les fenêtres aux sculptures profondes et les portes aux serrures d'argent, taillées dans des bois équatoriaux, dont la sombre pesanteur se trouve égayée par les frises en faïence de Séville, azulejos bleus et jaunes, aubergine et verts. Ce palais est la maison-mère du style néohispanique qui triomphe, depuis la guerre, de Séville à Holywood. Nous traversons le patio à balustres grenadins, puis le salon carrelé de tuiles rouges et de faïences à écussons et armes parlantes, meublé de tables de bois dur, d'un galbe baroque.

Par les fenêtres à volets pleins, où se
creuse le motif de la Croix (comme au
tableau des Menines), un rayon de soleil
réveille les damas et les broderies des
portraits historiques. Vice-rois de Lima,
véritables souverains du grand Pérou des
XVIe et XVIIe, non encore démembré par
les Bourbons. Vice-rois dont Madrid
avait si peur qu'il les faisait valser comme
des sous-préfets, vice-rois évoluant entre
les dividendes dorés et les tourments
éternels, vice-rois râfleurs ou grignoteurs,
mercantiles ou cyniques, buralistes loyaux
ou croupiers avides, sympathiques
ou coriaces, incorruptibles ou maqui-
gnons; je les revois suspendus en effi-
gie, gainés d'or, et la dague au côté
comme un barbier sa trousse, l'habit
relevé sur le bas rouge et sur l'acier
bleu d'un cuissard, chevaliers de Saint
Jacques ou de Calatrava, Commandeurs
ou Vénérables avec leur blason herminé
et leur figure trouée de petite vérole.
Les tout premiers, maigres et de noir

vêtus, les autres gras et tout en rose :
don Antonio de Mendoza, de sang aussi
bleu que la bannière de Pizarre, le comte
de Nieva, rond-de-cuir despote, don
Francisco de Toledo, bourreau des cons-
pirateurs, le sombre comte de Monter-
rey, l'implacable comte de Lemos, Cas-
tellar le rigide, le Marquis de Castell
dos Rius, punisseur des corsaires hol-
landais ou anglais, l'archevêque Mor-
cillo Rubio, qui couvrit d'or Philippe V
comme une courtisane, Montesclaros, le
marquis versificateur, le Prince Esqui-
lache, qui pastichait le Tasse, le Marquis de Caneto, qui construisit le pont
de San Luis Rey, le comte de Superunda,
qui se distingua lors du fameux tremblement de terre, don Manuel de Amat,
qui obligeait le peuple à acheter des
lunettes et des dentelles; le Marquis de
Villa Garcia, ivre des modes de Ver-
sailles, don Augustin de Jauregui, qui
saigna les Indiens par milliers aux grandes révoltes de la fin du XVIIIe siècle...

L'Université de Lima date du
XVIe siècle; installée dans l'ancien couvent San Carlos, cet Oxford indien offre
une succession de cloîtres avec bassins,
palmes, buissons de jasmin et chapelles
converties en bibliothèques; le décor
ecclésiastique contraste avec les stades,
la piscine, les laboratoires de ce centre
intellectuel dont le modernisme n'est
égalé en Amérique que par celui du
Mexique. Les spectres des pucelles vio-
lées et des conquistadors égorgés qui,
paraît-il, sont les revenants familiers du
cloître San Carlos, ne semblent pas troubler les travaux et les jeux universitaires.
Jeunes gens et jeunes filles — ces dernières, petites, mais ravissantes, avec des
ondulations perpétuelles qui semblent
ciselées dans du plomb, — sortent du
cours pour jouer au basket-ball ou sou-
tenir jusque dans la rue des opinions
politiques fort avancées. Le recteur est
jeune, ardemment communiste; il a
institué dans son Université de vérita-

bles soviets, où les étudiants choisissent
eux-mêmes leurs programmes et leurs
professeurs, mais il n'a pas pour cela
touché aux saints fondateurs qui dorment
sous les dalles et dont les portraits en
pied restent accrochés dans l'escalier.

Le Sénat se réunit dans l'ancienne
Salle Capitulaire de l'Inquisition, sous
le plafond de cèdre, *artesonado*, à caissons, pareil à ceux de Tolède et de
Séville. Dans ce pays possédé du Mau-
dit, dans ce Pérou encore frais du sang
des lamas sacrifiés, régnait le Grand In-
quisiteur Général des Amériques, sei-
gneur tout puissant, qui relevait à peine
de Rome et moins encore de Madrid;
les vice-rois tremblaient devant lui. Par
l'ouverture secrète pratiquée dans la
porte, et qui s'ouvre pour moi, je l'ima-
gine surveillant le supplice des nègres
convaincus de magie et pendus par les
pieds, ou des Indiens relaps, l'entonnoir
enfoncé dans le gosier...

Visite à la maison de Bolivar, petit

palais bas, dissimulant un jardin tropical qui disparaît sous les géraniums
géants, salons sombres et frais étalant
les souvenirs et les innombrables portraits du libérateur, qui ressemble à un
Barrès colonial. Plus loin, c'est le Musée,
où je visite, sous la direction du pro-
fesseur Julio Tello, le plus grand ethnologue péruvien, une collection d'admirables vases funéraires ou *huacos*, poteries
nazka aux vives couleurs, poteries
Chimu ou de Pachacamac, de Tiahuanaco
ou de Trujillo, noires, beiges ou poly-
chromes, où tous les motifs décoratifs
sont curieusement ramenés au carré;
dieux à mille pattes, au corps ocellé,
homme à plusieurs bouches, monstres
à langue ornementale, oiseaux-démon,
démons-chat... Tous les animaux, les
oiseaux, les hommes et les femmes dans
leurs occupations quotidiennes, dans leurs
jeux ou leurs amours les plus auda-
cieuses, sont reproduits avec un réalisme
aigu. De coffrets de bois on tire et on

déroule pour nous des métrages de lai-
nages brodés, d'une fraîcheur de coloris
incroyables, garance, ocre, gros bleu,
toute une symbolique de petits motifs
archaïques rappelant la tapisserie de
Bayeux. Ces tissus viennent des tombes
millénaires où ils revêtaient les momies.

Il me semble émerger, comme eux,
d'un caveau, lorsque je sors au grand jour
parmi les fleurs du marché et les femmes
à cheval filant la laine ou rejetant sur
leur dos, d'un coup de reins qui n'est
qu'à elles, leur poupon emmailloté... Je
dois enjamber les cochons d'Inde rôtis,
les gâteaux de maïs fourrés à la pistache
ou au piment, les sucreries enveloppées
dans des feuilles de bananier et les paniers
en fibre d'aloès pleins de bananes brunes,
roses, vertes ou jaunes, d'ananas, de chi-
rimoyas, — grosses noix vertes à la chair
crémeuse semée de pépins mous et noirs,
et d'avocats, lourds de graisse végétale.
Des Indiens au nez maigre offrent avec
un regard oblique les poissons et les

crustacés du Pacifique ou des rivières,
le *corbina* ou les *camarones*, succulentes
langoustines qui sont notre régal.

C'est le matin qu'il faut se promener
dans le vieux Lima, sous les balcons
qui surplombent la rue comme des mou-
charabiehs; anciennes maisons grillées
comme des ménageries, cours, fenêtres;
et les jardins eux-mêmes sont enfermés
comme des bêtes fauves. De chaque côté
des portes cochères, d'antiques canons
de fer s'enfoncent, la gueule en bas,
ce qui signifie que jadis la demeure
avait droit d'asile. Fers forgés et lourdes
portes cloutées; portes gracieuses rehaus-
sées de peintures; c'est la maison des
ducs de San Carlos, qui possédaient
jadis le monopole des postes américaines.
Au bout des rues d'un blanc doré, aux
angles vert d'eau, aux étages rosâtres,
les Andes hautes et sèches comme un
os de martyr, ferment le paysage.

Autrefois, avant l'invention de l'automobile, la société liménéenne allait

prendre le frais aux jardins de l'Expo-
sition, à l'heure où se couche, parmi les
vautours de voierie, le soleil glabre.
C'était le Pérou du XIXe siècle, si admi-
rablement décrit par un voyageur français
inconnu et charmant, Max Radiguet,
Pérou révolutionnaire déchiré par les
sociétés secrètes; Pérou des pronuncia-
mentos, des revues fantastiques passées
par des généraux mulâtres, Pérou des
pelotons d'exécution sous les balles desquels tombent des condamnés à mort
soutachés d'or, le cigare aux lèvres, entourés de pénitents noirs...

Au temps des vice-rois, la promenade
élégante était ce plateau d'Amancaes, cerné
de roches sinistres, dans une plaine aujourd'hui déserte, sauf les jours de fête,
où l'on vient manger des grillades en
plein vent parmi les carillons et les salves
d'artillerie. Je ne connais rien de plus
triste que ce climat de désolation, ce
paysage de pénitencier et ces arbres brûlés par le sel qui entourent Lima la riante,

avec son bouquet de clochers et les tours jaunes de sa cathédrale.

DEUXIÈME TOMBEAU AMÉRICAIN

A la tombée de la nuit, je revenais d'Amancaes vers Lima; un orage menaçant aggravait le crépuscule. Soudain, en travers de la route, j'aperçus une ombre.

— Pouvez-vous me ramener, monsieur?

— Certainement, madame; seriez-vous en panne?

— Je n'ai plus de voiture car je viens de donner la mienne, fit-elle en riant.

Non moins étranges que ses propos, sa robe orangée à résilles noires, ses paniers, boursouflés aux hanches, sa mantille de blonde.....

Etait-ce une folle? Une très jolie folle

en tous cas, que cette jeune dame créole
aux bandeaux plats, au nez busqué; je
distinguai, grâce à un dernier reflet du
jour, ses traits purs. Ses façons étaient
charmantes, sa voix douce. Je ne sais si,
comme disent Radiguet et Larbaud, les
Liménéennes sont les plus caressantes
de toutes les femmes, mais j'étais porté
à le croire en sentant celle-ci se serrer
contre moi aux tournant et ne s'éloi-
gner que pour se signer, lorsque nous
croisions le Saint Sacrement. Nous
nous arrêtâmes à quelques boutiques
de la calle Union. Elle avait « l'œil cher »
comme disent les Anglais, car elle ne
choisit que des objets d'un grand prix,
qu'elle oublia d'ailleurs aussitôt; et même
un très beau nécessaire en brillants, dont
elle fit cadeau à la Madone, à la première
église.

Comme nous passions devant une ca-
serne, dans la rue San Germain, jadis un
des endroits les plus élégants de Lima,
aujourd'hui quartier ouvrier, ma com-

pagne s'arrêta et descendit; je la suivis;
la sentinelle fit quelque difficulté pour
nous laisser entrer. Aussitôt franchi le
corps de garde, je me trouvai soudain
dans un petit Trianon péruvien. La
cour intérieure, aux pavés barbus, était
entourée de hauts murs où s'effaçaient
des fresques à l'italienne, qui masquaient
les cheminées d'usines et étouffaient le
bruit des sirènes, des tours et des camions.

— « Ma maison », dit la jeune femme,
en gravissant un perron creux, qui enjam-
bait des douves, où l'eau courait en un
mouvement rapide contrastant avec l'abandon du lieu.

« Sa maison » était un charmant pavil-
lon baroque tout ruineux et moisi, couleur de pastille de chlorate, assez semblable aux casinos vénitiens de la Brenta.

— Vous viendrez ce soir au souper,
disait-elle. On trouve de tout chez moi,
vous savez, des seigneurs, des généraux
à l'haleine forte, des artistes qui ont été

en Europe et exigent du thé à l'anglaise;
d'autres, plus locaux, qui puisent avec
leurs doigts dans ma vaisselle de vermeil.
Ce soir, vous verrez même un herma-
phrodite italien.

Elle me regardait de ses beaux yeux
cernés, à la pupille dilatée et comme
surexcitée encore par le vin de la veille :

— Autant souper chez le diable, dis-je.

— On rencontre de tout ici, continua-
t-elle, de tout..... sauf des femmes mariées.
(Car je suis de celles qu'on ne salue pas
dans la rue, mais ça vous est égal?) On a
même vu un cardinal danser sur la table
avec sa jupe sur la tête.....

La dame se moquait, car personne
n'eût pu habiter ces salons vides, aux
parquets disjoints par les tremblements
de terre, aux boiseries dorées que la
chaleur avait fendues de haut en bas.
Personne ne nous attendait derrière les
fenêtres grillagées en losanges. En fine
poudre rouge, les plafonds d'acajou,
rongés par les vers, tombaient au bruit

de nos pas, sur nos épaules. Au premier
étage d'une galerie de douze arcades à la
moresque, la vue plongeait au fond d'un
petit jardin oriental, clos de murs de
sérail. Il avait dû être infiniment aimé et
soigné, ce jardin, à en juger par les
canaux pleins de feuilles qui s'y croisaient;
mais les vases étaient vides de fleurs et les
statues allégoriques tombaient d'elles-
mêmes. Des perspectives en trompe-l'œil
s'efforçaient de le prolonger et, par-dessus les faubourgs, par-dessus les hauts
fourneaux, le regard s'étendait jusqu'aux
montagnes d'Amancaes.

La maîtresse du lieu ouvrit alors dans
le mur une porte d'armoire derrière
laquelle, en une niche ruisselante d'or,
se dressait un autel, qui était comme la
volière du Saint-Esprit. Elle s'y abîma
en prières.

J'allumai une lampe de poche.

— Eteignez! cria-t-elle. C'est pire que
le soleil.

— Vous redoutez le jour?

— Je ne vis que la nuit.

Je m'avançai vers ma compagne, et lui mis, la main au corsage. Elle recula.

— Pas aujourd'hui !

— Pas aujourd'hui ! répondis-je en l'imitant.

— Demain....

Elle me regarda drôlement :

— Ouvrez la bouche et fermez les yeux, fit-elle en riant (je me rappelai ses dents, si blanches qu'elles soutenaient sans jaunir l'incarnat violent des lèvres fardées.)

J'obéis ; mais rien n'arriva ; il ne m'entrait dans la bouche qu'un parfum de jasmin. Quand je me décidai à regarder autour de moi, la dame avait disparu.....

J'entendis alors un pas pesant. Un homme montait l'escalier. C'était un sous-officier du corps de garde.

— Que diable faites-vous ici, à cette heure ? La maison est fermée depuis longtemps !

— Mais quelle est cette maison? de-
mandai-je.

— Paraît que c'est celle d'une dévote
qui avait fait des siennes dans le vieux
temps; elle s'appelait la Perri-Choli. Elle
est enterrée par là, au jardin.....

— La Perri-Choli! La maison de la
Périchole!

Je compris alors pourquoi j'avais rencontré la brune créole à pied, sur la route,
sans sa voiture; ne l'avait-elle pas offerte
à l'archevêque, et n'était-elle pas, cette
voiture, devenue ce *Carrosse du Saint
Sacrement*, qu'on peut voir encore au
musée de Lima? Ombre de la Perri-Choli
qui, à la nuit, revenez hanter votre petite
maison, je vous évoquai alors dans ce
charmant Lima des *Tradiciones* de Ri-
cardo Palma, plein d'arias italiennes, du
claquement des balles de pelote, du cri de
l'annonce des loteries, de la fumée des
auto-da-fés et de ces courses de taureaux
en place publique, agrémentées de haute
école et d'excentricités de manège qu'on

voit encore dans les dessins de Goya.
Cours d'amour, femmes déguisées en
hommes, tertulias poétiques où chanoines
et vice-rois rivalisaient de bouts-rimés,
quand, sous l'œil des duègnes africaines,
Micaela Villegas, dite la « Perri-Choli », la
petite chienne, faisait tourner en bour-
rique don Manuel de Amat, le grand
vice-roi, et l'envoyait en chemise, décoré
de la Grand'Croix de saint Janvier, à la
fontaine publique lui chercher de l'eau
dont « l'enamourée » vice-royale n'avait
d'ailleurs pas besoin, puisque une canali-
sation d'argent avait, par faveur spéciale,
détourné le Rimac jusqu'à cette maison.

C'est donc ici qu'on dînait chaque soir
aux lanternes! Des miroirs, dans les arbres, renvoyaient les feux des bougies et
ceux de l'amour, et, comme un émir gre-
nadin, tandis qu'une escorte d'hallebar-
diers et de dragons patientait dehors, le
vice-roi prenait son plaisir en compagnie
de celle qui repose maintenant sous
ce bananier, dans une tombe grande

comme celle d'un chien de manchon.

Dans la rue, je me retournai une dernière fois pour regarder la maison de la
Perichole. Sous un réverbère, je n'aperçus plus de l'extérieur qu'un mur bariolé
d'affiches électorales, sur lequel je lus :

VOTE POR LOS COMMUNISTAS!

PACHACAMAC

A deux heures de Lima, dans un désert
de sable au bord du Pacifique. L'air
vibre; tout est bleu, couleur symbolique
de l'Inca, rouge, couleur mystique de
l'Univers..... Une odeur molle, infecte,
insupportable parce qu'organique, l'odeur
du guano, s'attache au fond de mon nez;
tout près, les îles à guano, arrachées du
rivage par les tremblements de terre,
apparaissent, blocs d'excréments jaunâ-

tres, puants, glissants, durcissant leur
croûte à l'air sec. Au fond, les montagnes
violettes, plus reposantes à la vue, s'avancent jusqu'au bord des dunes au dos rond,
nommées ici « tortues ».

Sur un talus artificiel, le temple de
Pachacamac en ruines domine la plaine;
on y accédait, comme à tous les édifices
incas, par le toit grâce à des plans inclinés, et on redescendait à l'intérieur par
des escaliers. Le sol est jonché de débris;
ce sont des crânes, souvent déformés
en forme de pain de sucre, des tibias,
des fémurs, tout un ossuaire mélangé à
des fragments de coton blanc, haillons
des linceuls dans lesquels étaient empa-
quetés les morts. Pachacamac est un
grand centre de fouilles; les habitants de
Lima y viennent creuser le dimanche, en
quête de trésors, comme ailleurs on pêche
à la ligne. Chacun bêche, sans souci d'archéologie, cet immense charnier qui
compte jusqu'à quatre-vingt mille tombes ou *huacas* (ne pas confondre avec

huacos, poteries funéraires). Sur ce sable aujourd'hui désolé, s'étendait jadis une ville « plus grande que Rome », écrit en 1533 le chroniqueur espagnol. Une haute muraille en adobe cuit au soleil l'entourait, dont l'œil peut suivre encore le dessin fragmenté. Mais il faut imaginer toutes les maisons d'argile, les palais chaumés de bambous, les parcs à lamas, les exploitations d'engrais, les greniers dans lesquels les Espagnols trouvèrent du grain pour cent ans. Je monte au sommet du temple, d'où l'on aperçoit la plage et la cité détruite. Aux pans de murs adhèrent encore des plaques de stuc rouge, de ce même rouge pourpre qui semble avoir été partout la parure des premiers temples, rouge égyptien, crétois, polynésien, aztèque, nippon, chinois..... Ce sanctuaire incarnat prolongé de couvents, flanqué de tours de guet, était incrusté de coraux, de cristaux, de turquoises et de perles. Ici régnait le dieu Kôn, l'être sans os ni nerfs qui est le souffle, l'âme et la vie. A Pachacamac était révérée cette divinité très ancienne, Esprit de l'Univers, que les Incas adoptèrent sous le nom de Dieu Inconnu, dieu ineffable dont le nom ne devait jamais être prononcé et dont le Soleil n'était que la créature.

Pachacamac, dans la vallée de Lurin ceinte de cannes à sucre et de champs de coton, fut prospère à une époque où Lima n'existait pas encore. Avec la fondation et le développement de la nouvelle ville, Pachacamac déclina et disparut dès le XVIIe siècle, après que Franciscains, Augustins, Jésuites, eurent fini d'évangéliser le pays. De Lima, Pizarre envoya son frère Hernando s'emparer du trésor de Pachacamac, célèbre sur toute la côte; mais à l'arrivée de Hernando et de ses Espagnols, ils ne trouvèrent plus que vingt-sept chargements d'or; quatre cents chargements environ avaient disparu, comme disparut le trésor des Incas, et celui de Tumbez, et bien d'autres, ce qui

n'a rien d'étonnant, puisque les Indiens
savent distinguer le pas d'un homme à
dix kilomètres de distance et qu'il est
impossible de jamais les prendre par surprise.

Pachacamac m'attirait depuis le jour
où, errant parmi les momies péruviennes
du *Field Museum* de Chicago, j'avais
appris que Uhle y avait découvert un
cimetière de femmes étranglées, femmes
superbement vêtues, entourées de pré-
sents et d'offrandes, sœurs des enterrées vivantes des tombes néolithiques, de
celles des mausolées d'Ur, de l'ancien
Siam, du Cambodge, et des veuves brûlées
de l'Inde; femmes étranglées, au cou
cassé à coups de hache de pierre, et
d'autres trouvées égorgées, fardées avec
leur propre sang; femmes du même coup
adorées et assassinées... De Chicago à
Munich, dans tous les musées du monde,
j'avais toujours été séduit par l'aspect
extraordinaire des momies péruviennes.
Ici, je me trouvais chez elles. Momies

ficelées comme des tortues dans les filets
de la Mort, momies roulées dans leurs
ponchos de plumes jaunes, enterrées dans
des cages ou dans des puits, dans des
jarres ou dans des maisons funéraires; momies brûlées par l'air sec, embaumeur de
corps; momies, avec leur tête artificielle,
leur tête de rechange, portant à leur cou,
dans un petit sachet, à la mode chinoise,
les parties mutilées pendant la vie, desti-
nées à rejoindre à la résurrection le reste
du corps; momies roulées en boule, faisant le gros dos, entourées de chouettes
d'argile ou de singes familiers. Momies
empaquetées dans des suaires de dentelles,
vieilles vertèbres écroulées parmi les disques de turquoises désenfilés, tombés du
cou, bras cassables maintenus par l'or des
brassières.Momies qui n'ont jamais touché
aux os à moelles disposés devant elles,
qui n'ont jamais voulu jouer de leurs instruments de musique alignés par terre,
qui n'ont jamais tiré aucun son de ces
flûtes endormies près d'elles depuis des

millénaires. Guerriers repliés dans leur sape tenant encore à la main leur hache de cuivre ou de schiste. Races souterraines et accroupies, lamées d'or. Guignols de catacombes, pantins recroquevillés retrouvant dans la mort la position initiale du fœtus et qui se tiennent atrocement le visage dans les mains crispées, alignés le long des murs comme des voyageurs épuisés. Le même soleil qui engrossait les reines et engendrait la vie, les a brisées comme de vieux cigares.

Pérou, tes vraies mines ne sont pas les mines d'or et d'argent, mais les tombes. Pérou, funèbre patrie des momies! Chez nous, le culte des morts est un culte abstrait, puisque la terre nous les reprend. Mais le Pérou avare les conserve tous, et le jour du jugement dernier saura présenter, mieux qu'aucune autre nation du monde, l'intégralité de ses aïeux.

PÉROU NORD

Ce matin, nous quittons Lima pour
l'Equateur.

Vive la gent qui fend les airs!

Joie de se sentir enlevé dès l'aube
dans le ciel, les yeux frais, le corps reposé.
Une demi-heure de brume, puis nous
crevons le plafond et nous glissons sur
la mer de nuages habituelle, dont le vent
de nos hélices déchire le sol ouaté. J'aime
ce soleil chaud sur ma joue droite et dans
le dos. Au-dessous de nous, notre ombre
portée nous suit sous forme d'un épervier
fantôme, tantôt d'un bleu vif, tantôt de
contours indécis et gris, tombant dans
les trous pour réapparaître aussitôt. Nous
montons, tandis que le garçon du bord

nous passe les journaux humides d'imprimerie et le café au lait. Devant moi, une
grosse dame craintive dit son chapelet. A
l'arrière, dans une cage, un serin tout heureux de se trouver en plein ciel, se met à
gazouiller. Les cimes émergent des nuées;
les nuages les plus élevés se déchirent sur
les roches et viennent se jeter sous nos
roues aériennes. Le régime baisse; mille
mètres; nous redescendons dans le froid;
nous voici en mer. Virages au-dessus des
vagues et, cinq minutes plus tard, une
ligne blanche sort du brouillard : c'est
la côte. Le radio me passe un papier :
« On va vous montrer Paramonya. » Sur
la dune, non loin de roches en mâchefer
hérissant de petites anses, gonfle en effet
une immense ampoule, citadelle de terre
à triple enceinte, à trois étages. J'aperçois
des traces d'aqueduc, de réservoir, d'enclos; c'est la partie sud et la plus ancienne
du Grand Empire, le berceau des premiers
Chimus.

    Des rochers sous l'eau, comme des

ecchymoses, comme des *bleus* sous la
chair, bordent la terre la plus aride du
monde, où ne poussent que ces plantes
du désert dont la tige garde l'eau comme
un trésor, lichens cendreux, épines, mi-
mosas. Avant l'orage de 1895, la dernière
pluie datait de 1725. En d'autres régions
du désert chilo-péruvien, plus favorisées,
il pleut tous les dix ans; alors par toutes
les fissures, la végétation bondit, verdit
en quelques heures, pour retomber aussitôt dans le jaune et le roussi. A Chanchan, dit-on, un voleur n'a pas besoin
d'outils pour trouer les murs des maisons:
une éponge lui suffit. Ici, en face du Pacifique, aux bords du rio Moche, en pleine
solitude, les caciques du Grand Chimu
et les empereurs au ventre bardé d'étoffes
rouges comme des poulardes de lard,
coiffés de bandelettes, l'éventail de
plumes derrière la tête, la coca roulée
dans des sacs d'admirables textiles, dont
la trame est parfois si fine que le nœud en
est invisible à l'œil nu, tous ces puissants

d'un jour, indéfiniment conservés par le
sol nitraté, dorment d'un sommeil éternel
que, deux fois par semaine, les trimoteurs viennent troubler. Ici fut Chanchan, la plus grande ville américaine,
l'égale de Memphis, le New-York d'avant
le Christ : il n'en reste que trois terrasses
écroulées et deux labyrinthes pareils à
des colimaçons fossiles... Dans le sol de
cet empire aussi fragile que civilisé, on
fouille depuis cinq cents ans, à tort et à
travers, et on continue à trouver ces poteries merveilleuses par lesquelles toute
l'histoire préincaïque est écrite; le Chimu
fut anéanti au XIVᵉ siècle par les sauvages
conquérants descendus des Andes; il suffit aux Incas de couper les canaux d'irri-
gation et d'occuper les points d'eau à
l'entrée de la plaine pour que Chanchan
et l'empire Chimu mourussent de soif
et tombassent en poussière. Le même
sort frappa le grand Empire de Trujillo
que nous survolons maintenant, plus au
nord, et dont les habitants adoraient la

mer, fille de la Lune; contrée de guerriers masqués et ailés, où l'or et l'argent étaient aussi communs que le cuivre.

Le soleil de nouveau perce les nuages; il y a plus de deux heures que nous sommes partis de Lima. La mer, reflétant directement le ciel, redevient bleue; notre visibilité s'étend progressivement jusqu'à vingt, trente, cinquante kilomètres. Nous passons des promontoires bordés de récifs noirs, à la crête blanchie de guano. D'ici, la mer, avec ses rides, est comme un maroquin écrasé. Elle étonne bien moins que vue du rivage; pour nous qui lisons dans ses profondeurs et y reconnaissons les mêmes roches, les mêmes solitudes sablonneuses que sur terre, elle ne fait que continuer le sol. A la surface des flots traîne une bave blanche; elle stagne au fond des criques, comme les « peaux » du lait refroidi. Les oiseaux à guano, troublés par nos moteurs, déplient sous nous leurs motifs décoratifs pointillés. L'air est maintenant très calme. Plus de

mal de ciel. Monotonie profonde comme
le ronronnement d'un chat repu et som-
meillant; l'avion semble dormir sur place;
c'est à peine si, à travers son tonnerre
rond, on réussit à surprendre le cliquetis
trépidant des soupapes, ce calme, d'ailleurs, n'est qu'apparent, car dès que je
fais glisser la vitre, le vent des grandes
vitesses s'engouffre dans la carlingue. Nous
n'arriverons en Equateur qu'au coucher
du soleil, mais nous sommes si habitués
aux longues distances que des escales de
deux ou trois heures, comme celles de la
petite Europe, nous paraîtraient ridicules.
Londres, Paris, Berlin, sous-préfectures
qu'un vice-roi d'Europe, délégué du Roi
du Monde, gouvernera peut-être un jour
par T. S. F....

A la hauteur de Chimbote, le pilote
complaisant vire à droite pour nous montrer deux temples du Soleil dans un
paysage verdâtre, taché de noir et de
brun comme un lynx; je me penche et
j'aperçois deux collines de boue séchée,

des étendues de terre réfractaire qu'entoure un mur qui monte vers une sorte d'observatoire astronomique, quadrillage de canaux, grandes enceintes où les édifices s'inscrivent en carré, ainsi qu'en Chine, ruines qui affleurent à peine par-dessus le sable dessinant les lignes d'un court de tennis. Le survol restitue à ces villes l'esprit géométrique dans lequel elles furent conçues. Nous sommes à Trujillo, le nouveau Trujillo, car celui où naquit Pizarre se trouve en Estramadure.

Voici Pacasmayo. Notre lourd trimoteur descend en cercles immenses, attiré par le hangar comme le condor par la charogne, et dépose sur le sol ses dix tonnes. La poussière dissipée laisse voir, dans un repli du terrain, un autre appareil qui nous attend. C'est un amphibie qui nous mènera en deux jours à Panama. Pur de lignes comme une voiture de course, libellule au corps de laque noir, aux ailes d'argent, il est conduit par une

équipe de charmants jeunes gens, habillés de khaki léger et qui portent au dos,
en grandes lettres, à l'américaine, le nom
de la Compagnie. Je caresse les hélices
métalliques, douces comme des naseaux de
cheval... On tombe par une trappe dans la
carlingue, où nous sommes très à l'étroit,
presque à ras de terre. La trappe se referme durement et nous volons déjà à
travers le désert de Sechura. Notre nou-
vel avion bi-moteur, à nageoires de raie,
est trop léger, et les courants d'air chaud
l'enlèvent comme un fétu. Mais au cap
Farina, nous longeons la mer et la fraîcheur des vagues calme les remous at-
mosphériques. A l'heure du déjeuner, un
peu avant Talara, nous survolons une
région pétrolifère où les derricks dressent
un cimetière de croix et les pipe-lines cou-
rent sur le sable avec de grosses varices
aux bifurcations; l'avion fait son plein
de ce magnifique et riche pétrole de Talara
et s'envole aussitôt vers l'Equateur.

Le ciel se couvre d'un coup de lourdes

brumes équatoriales. Un des pilotes
pompe et je vois notre amphibie rentrer
soudain ses deux roues qui tournent sur
leurs rotules articulées et se replient sous
nous ; avec ses pattes invisibles il doit ressembler maintenant à un oiseau de grande
vitesse. Nous frôlons l'eau où jouent des
phoques. Dans les ports, nous semblons
courir entre les mâts, accrocher leurs
flammes, sauter par-dessus les jetées et
à Torriza où la maigre carcasse des drains
est la seule végétation, nous rions des pé-
troliers ridicules, avec leur chaudière à
l'arrière et leur citerne à l'avant, comme
un gros ventre de quinquagénaire.

Ici, tout sue l'huile ; le goudron et le
pétrole soulèvent la croûte terrestre ; dans
la mer descendent les schistes gras et,
au large, des jaillissements sous-marins
moirent de pétrole la surface du Pacifique.

ÉQUATEUR

En quelques minutes s'est opéré un
extraordinaire changement à vue; l'azur
nous quitte jusqu'à la Nouvelle-Orléans;
la fraîcheur cesse d'un coup, entraînée par
le courant de Humboldt qui s'est perdu
au large. Sous le ciel pourri de l'Equateur, d'un gris de zinc verdâtre, comme
les fonds du Greco, le désert devient
forêt. Un autre monde commence, une
autre faune, une autre flore; le sol a disparu et, avec lui, les maisons de terre
que remplacent des paillotes sur pilotis
aux toits de palmes sèches, entre les cocotiers et les palétuviers. Les petits éperviers,
en faction sur l'extrémité d'un cactus, ont cédé la place aux pélicans pêcheurs, aux chauves-souris, aux vampires.
Voici Pimentel, port périlleux, voici Tumbez dont les maisons basses sont engra-

vées dans le sable comme des barques
échouées. Tumbez, où Pizarre fit connaissance avec le lama cependant que le pré-
fet inca, faisant connaissance avec le coq,
applaudissait à son chant; Tumbez où
l'aventurier grec, Pierre de Candie, investit
à lui seul tout un couvent de vierges;
Tumbez où j'ai sous les yeux le plus beau
paysage qui me sera offert dans ce voyage:
c'est une rivière immense, dont la triple
et quadruple gueule semble mâcher des
îles, les sucer avec ses langues de palétuviers boueux.

Palétuviers sans qui le monde n'aurait
sans doute pas pu se constituer; végétal
constructeur, plante d'après le déluge, digue
naturelle contre l'eau, protecteur des terres
en formation. Le palétuvier s'enracine,
s'arc-boute, résiste à l'entraînement des
courants dans les lagons où il jette l'ancre,
s'accroît par des bonds en avant, développe
ses pistils hors d'atteinte de la mer et laisse
choir sa graine à marée basse, puis la fixe,
progresse du bec et des griffes, alternative-

ment, comme le perroquet; arbre amphibie
qui plonge dans le limon les doigts de ses
radicelles, se replante lui-même, meurt à
une extrémité à l'instant où il reparaît à
l'autre, ne cède jamais de terrain, et permet au sol qu'il colmate de tenir, de sécher, de s'exonder, de devenir rivage;
rhizophore d'abord mou mais qui durcit
comme un ciment salé; abri mouillé où
la poule d'eau pond et où l'huître fraie,
où l'on prend le poisson à la main, palétuviers que je révère, depuis longtemps
je vous réservais cet hommage! Vous êtes
le peuple de ce delta immense, avec ses
marges de bois autour de chaque rivage,
terre gluante, mouvante, où viennent
s'échouer dans les essaims de moustiques,
tous les détritus des Andes, tous les troncs
des arbres arrachés, racines en l'air, sou-
ches mortes, pareils aux crocodiles qui
lèvent vers nous leurs têtes ligneuses.

Excès d'eau, absence de profils, région
épouvantable de confusion verte, marécages où aucun bateau, aucun homme ne

pourrait s'aventurer et dont je lis, de mon observatoire volant, tout à mon aise, le dessin. Voici Santa Clara, l'île des Morts, qui d'ici, avec ses landes blanches de sel, a l'air d'un cadavre dans un suaire. Au fond de criques limoneuses, où viennent s'embouteiller les bois flottés, des hommes nus grimpent dans des touffes de cocos. C'est l'empire de la grenouille et du cra-paud, du buffle, des singes, du crocodile et de la tortue aux œufs huileux. J'ima-gine Pizarre et ses compagnons, sous le tonnerre et les éclairs, pataugeant dans cette fange, en cottes de mailles, jusqu'à ce qu'ils eussent rencontré les premiers Indiens, ceux qui demandaient naïve-ment aux Espagnols : « pourquoi ils ne restaient pas chez eux à cultiver leurs terres ». (C'est que l'émeraude ne pousse pas en Estramadoure).

« Et ce pays n'était qu'un très vaste marais... »

où les chevaux enrobés de fer se ca-braient sous l'étreinte des boas, où les

hidalgos se nourrissaient, aux bons jours,
d'œufs d'iguane et de crabes ramassés à
pleins casques et, aux mauvais, du cuir
de leur ceinturon.

A l'horizon se lève une grande île;
c'est la Puna, d'où les caravelles de Pizarre
cinglèrent vers le Pérou et d'où, pour la
première fois, il aperçut, de son œil pré-
datoire, cette Cordillère qu'il lui fallait
conquérir.

« Au pied des volcans morts, sous la zone des
[cendres
L'ébénier, le gayac et les doux palissandres,
Jusques aux confins bleus des derniers hori-
[zons... »

L'île de la Puna fend en deux la rivière
de Guayas. Après l'avoir survolée pendant une demi-heure, nous pénétrons
dans le golfe de Guayaquil et dans l'estuaire, jusqu'à une soixantaine de kilomètres à l'intérieur. Le soleil se couche
et rosit toutes les surfaces, jusqu'alors
plombées, qui défilent sous nous. Un

avion n'aurait eu, ces trois dernières
heures, aucune possibilité d'atterrir, mais
nous, pareils aux premiers dieux péruviens, nous marchons sur les flots. Des
canaux salants, des culs-de-sacs saumâ-
tres stagnent, et leur surface lisse est
d'une autre couleur que les rapides de la
grande rivière, au-dessus de laquelle nous
commençons à descendre.

Guayaquil, ville nautique et amphibie
comme Bangkok ou Palembang, aligne
sur le front de mer et le long du fleuve
ses maisons sur pilotis, aux toits de tôle
ondulée; bazars, églises, hôtels semblent
des bateaux à l'ancre. A l'extrémité de la
perspective, le port ouvre ses bras à des
cargos américains qui chargent l'ivoire
végétal et le cacao. Nous amerrissons dans
un jaillissement d'eau qui nous recouvre
entièrement. Une tiédeur humide nous
suffoque. Il est six heures du soir. Vais-je
quitter la voie des airs? Prendrai-je la
route de Quito, que j'ai aperçue tout à
l'heure, perçant la montagne comme le

ver le fruit? Remonterai-je par cette
célèbre « avenue des volcans », qui jalon-
nent le chemin jusqu'au haut des Andes,
et dont je n'apercevrai, que le plus grand
et le plus connu : le Chimborazo? Hélas,
les trains ne partent que deux fois par
semaine et j'ai manqué la correspon-
dance.

On n'imagine pas à quel point un
voyageur pressé est perpétuellement con-
trarié en Amérique du Sud par la méchanceté avec laquelle les trains s'obstinent
à ne pas coïncider avec les avions, les
bateaux, ni même avec d'autres trains. Je
rêve d'une auto, d'un canot à pétrole, d'un
auto-carrill, d'un véhicule quelconque
pour atteindre Quito, mais je ne trouve
au débarcadère qu'un aimable agent con-
sulaire affligé par la chaleur et par la pé-
nurie des moyens de transport. Finalement
nous demeurons à bord, où le pilote
fait son plein de chapeaux de paille. Car
les panamas ne sont pas fabriqués à Panama mais à Guayaquil où l'on sait tres-

ser la paille en spirale sans jamais la
rompre, en faire un tissu si serré qu'il
devient souple comme une moire, et la
blanchir ensuite à la vapeur de soufre.
L'avion repart, coupant Guayaquil par le
travers, ce qui ne prend que quelques
secondes, et, jusqu'à la tombée du jour,
il survole une région, sèche par miracle,
où la forêt est défrichée et plantée de cases
qui cultivent les papayiers aux feuilles
festonnées et les cacaotiers au feuillage
d'ébène. A l'extrémité du cap, nous fon-
çons sur une petite crique tranquille près
de Santa Elena, village de pêcheurs, riche
seulement de ses coquillages à pourpre.
Nos tuyaux d'échappement crachent sale,
l'eau s'égoutte le long de nos vitres et
nous approchons de huttes en feuilles de
palmiers, sous lesquelles dorment des cochons noirs. Un cadavre de requin pour-
rit sur la grève — dont il ne reste que la
grosse tête verte et la colonne vertébrale,
car les mouettes ont mangé le corps. L'appareil avance doucement jusqu'au sable,

allonge ses roues sous l'eau, et atterrit sur un plan incliné où il passera la nuit. On le cale avec une vieille carapace de tortue. L'heure de se reposer approche; ainsi nous marchons au rythme du jour; notre avion descend avec le soleil, pour se lever avec l'aube.

Un petit hôtel de bois, tout en galeries, nous donne asile à trois cents francs par nuit; et nous dînons avec les pilotes, ardemment guettés par des négrillons qui leur vendent à chaque passage de vieux doublons espagnols en bel argent massif et blanc, trouvés dans le sable; c'est que le jusant découvre parfois deux galions qui sont venus échouer ici, chargés d'or. Il y en avait — dit-on — pour plus de deux cent cinquante millions. Nuit chaude, plage obscure éclairée seulement par le phosphore que dégage le requin en décomposition au-dessus duquel

« Flottait, crêpe vivant, le vol mou des vam-
[pires. »

Au matin nous sommes comme toujours (ou presque toujours) les seuls passagers; malgré le prix élevé de nos bil-
lets, nous devons coûter cher au Gou-
vernement américain qui subventionne
cette ligne au taux de deux dollars le
kilomètre! Le pilote met les gaz en plein,
mais le bondissement joyeux de la roue
est remplacé par l'arrachement difficile
des flotteurs hors de l'eau. Notre radio
et nos deux pilotes, trois enfants blonds
qui ne doivent pas avoir plus de soixante
ans à eux trois, s'amusent de leur appareil, comme d'un jouet magnifique; ils
le cabrent jusqu'à l'impossible. Le radio,
à qui manque l'instinct météorologique
de l'oiseau, y supplée par la science et
télégraphie sans arrêt; le mécano, les
pieds en l'air, lit le *Saturday Evening
Post*. Notre biplan sèche ses ailes inférieures toutes ruisselantes d'eau. Nous
voici en mer; ou mieux, au-dessus d'elle.
J'échappe désormais à cet élément mauvais, à sa poésie, à ses poncifs, à ses tra-

ditions, j'oublie le temps perdu sur les
bateaux, les sondages, tout le protocole
de la marine, les amiraux à favoris, la
gigue, la voile, l'odeur du vomi, les re-
pas à la table du capitaine, les tabous
britanniques, les visites sanitaires, les
exercices de sauvetage, le pain moisi.
L'hydravion m'a libéré de la mer!

L'eau court vertigineusement sous
nous. Les nuages, couleur d'encre stylo-
graphique, se font et se défont. Des
trombes en forme de sablier relient le ciel
à l'eau. Une heure de vol nous amène
au-dessus de l'île de la Plata, méduse voi-
lacée que nous laissons sur notre gauche,
et sur notre droite, le cap San Lorenzo,
où les Indiens adoraient l'émeraude.
La terre approche, fumante étuve, d'où
sortent les ébéniers, le santal, les acajous,
les papayiers et tous ces arbres glandu-
laires, pleins d'allusions génitales; car la
nature est sexuelle sous les Tropiques.
Derrière moi je sens la puissante pression
du gouvernail, la fureur de l'air divisé.

Au fond de cette conduite intérieure basse et confortable, je jouis de ce paysage que les caps poussent vers moi. Nous frôlons des roches noires sur lesquelles l'eau s'élance et retombe avec un fracas que nous n'entendons pas; c'est la baie de Caraquès. Nous doublons le Cap du Passé, et dix minutes après, l'Equateur est franchi. En bateau, c'est un événement. En avion, le temps d'écrire ces mots et j'ai passé dans l'autre hémisphère !

Par l'ancienne route de l'or, nous touchons maintenant la Pointe de la Tortue sous des alternatives de soleil blanc et d'averses, si drues que je n'y vois goutte à travers ces torrents verticaux et suspendus. Je voudrais m'arrêter dans ces petites criques délicieuses aux luisants roux, avec leur végétation intense, leurs bouquets de cocotiers, leurs cabanes grises qui pataugent dans l'eau. Mais déjà nous avons dépassé Esmeraldas, grand port de la quinine et du caoutchouc, et nous

faisons halte à Tumaco, par une chaleur
épouvantable. Les vapeurs battent pavil-
lon colombien, il n'y a presque pas de
Blancs et la population qui assiste à notre
arrivée est en chemise. Je change encore
une fois de monnaie pour acheter des
bananes. (Que de sols, de condors, de
bolivars, de sucres, de reis et de piastres
ont passé dans mes poches depuis trois
mois!). Un petit ours à miel devient
notre compagnon jusqu'à Panama. Des
Indiens nus, très barbares dans leurs
grandes pirogues, entourent notre hydravion, mais ne vont pas jusqu'à nous
offrir des têtes réduites (*cabezas reduci-
das*). Chacun sait, grâce au cinéma, que les
Indiens Jivaros, de l'Equateur oriental et
même de l'extrême-nord du Pérou tropical, avaient pour trophées les têtes de
leurs ennemis contractées à des propor-
tions infimes. Aujourd'hui où cette pratique est sévèrement interdite, ces têtes
ont atteint de tels prix à New-York que
les Jivaros violent les tombes pour se pro-

curer de la matière première, et il paraît
même que les Allemands leur en font
fabriquer de fausses avec des têtes de
singe. La préparation de ces horribles bibe-
lots est curieuse : les Indiens commencent
par briser le crâne, puis vident la tête de
ses os et de sa cervelle; ils la bourrent de
cailloux chauds et la laissent sécher dans
le sable; ayant au préalable longuement
insulté l'ennemi ainsi accommodé, ils lui
cousent les lèvres pour le mettre dans
l'impossibilité de répondre aux injures.
Lorsque la peau est durcie, on retire les
cailloux, on peint la figure dont les traits
sont désormais fixés, avec des jus de fruit,
on la polit et on la fume pour la conser-
ver. La tête est alors grosse comme le
poing, avec des cheveux longueur nature.

A la hauteur de la rivière Esmeraldas,
nous longeons le littoral colombien, une
aile sur la mer, l'autre au bord des plages.
Apercevant sans doute une exploitation
américaine de bananiers, le mécanicien
jette par dessus bord un paquet de jour-

naux qui tombe lourdement dans la vase; les habitants de la maison accourent et nous remercient de la main. Vapeurs, palétuviers, manguiers aux racines ogivales, palmiers d'eau, eau partout entre les branches. Nous coupons au plus près, nous rasons la crête des vagues, nous crevons de gros nuages noirs. La pluie tombe blanche et droite comme la farine sur le plancher d'un moulin. Magnifique paysage de commencement du monde, cloaque primitif, arbres déchaussés par les fleuves, rubans effilochés aux lisières, forêts inondées, que la marée basse recouvre d'un limon gluant.

Le pilote se retourne vers moi et imite avec ses mains une gueule qui s'ouvre et se ferme; ce sont des crocodiles qui nous guettent, mais il faut un œil exercé pour distinguer des troncs d'arbres le fuseau immobile de ces longs corps, et les petits crocodiles couchés en travers de leurs parents.

GOLFE DE PANAMA

Nous l'aurons eu, le baptême de la Ligne ! Depuis cent kilomètres, nous sommes dans la même averse; le ciel est blanc et la mer vert-de-gris; l'eau nous recouvre, comme dans les amerrissages, et ruisselle sur nos parois. On n'aperçoit que la boussole et l'altimètre. Les deux pilotes impassibles foncent en avant. Enfin, un rayon de soleil. Les vitres deviennent plus claires, le ciel plus bleu : l'aluminium des ailes se détache sur le ciel..... Nous courons à toute vitesse au ras de l'eau puis, gaz coupés, soudain silencieux comme un oiseau de nuit, nous descendons dans le trou d'un estuaire; après un virage au-dessus des cocotiers, halte à Buenaventura, village de nègres et d'Indiens chibchas, au fond du long estuaire de la rivière Cauca. L'appareil descend ses roues comme des pattes et se guinde au haut d'une longue plage de ciment armé, où il se séchera pendant le déjeuner. Comme une voiture grimpe aux étages supérieurs d'un garage, il se trouve maintenant suspendu dans les bois; après l'air frais de l'altitude et de la vitesse, la chaleur nous écrase dans le bungalow ajouré laqué blanc, où déjeunent les passagers. Quatre heures de vol à deux cents kilomètres de toute côte nous attendent.

Au départ, le même temps nous accueille : grosses averses, déluges aveuglants; ces cataractes comme figées dans leur chute ajoutent leur eau à celle du rio jaunâtre. Le pilote ne pense toujours qu'à ses crocodiles : « Marée trop basse, nous ne verrons plus d'alligators cet après-midi. » Il contourne les averses comme un automobiliste contourne les obstacles. Le radio maintient sa feuille du coude gauche et de la main droite rédige. Nous volons au-dessus de la forêt colombienne qui cache dans les cratères éteints des émeraudes plus vertes que les bananiers. Voici le phare de Chirambira.

Nous sommes revenus maintenant sur Pacifique et jusqu'à Panama, nous ne verrons plus le rivage. Le pilote nous fait glisser au ras de l'eau, passe au mécanicien la double commande, et se verse du café, non sans surveiller les orages, car nous sommes dans la région des trombes et des typhons. L'air humide, bon conducteur d'électricité, nous enveloppe d'éclairs de cuivre rouge.

Une nouvelle averse de cent cinquante kilomètres d'épaisseur trouble seule la région des grands calmes équatoriaux. Nous grimpons pour voir si les montagnes de Panama n'apparaissent pas encore..... Voici enfin une brume plus lilas que le ciel : falaises de Pearl Island, hérissées de récifs; de petites îles émergent, sept à huit, répandues sur l'eau plus visqueuse que le lait de coco. L'horizon s'élève, emprisonné par les fils de la pluie. Un bateau qui met droit le cap sur les mers du Sud, fume, isolé parmi les rides des flots, pareil à une ferme, à l'heure du repos de midi, au milieu de la pampa. Je le vois de si haut qu'il m'apparaît en panne au milieu de la mer, malgré son sillage et l'écume de sa proue. Notre pilote se sert de sa tasse en papier parcheminé comme d'un feuillet de carnet, et me crayonne d'un trait la route : direction Taboga. Les îles se couvrent d'une verdure en pleine santé; îles de Flamenco, de Perico, de Naos, de Cubeba. Je distingue entre deux eaux un sous-marin, pris dans la gelée des profondeurs comme un hanneton dans l'ambre. Entre les montagnes sur lesquelles nous piquons se dessine une brèche : c'est l'entrée du canal. Dans le soleil oblique de quatre heures, le panorama est admirable. Nagasaki, Hong-Kong, Along, ne sauraient surpasser en beauté ce paysage-ci, immense arc bleu, vert, noir et argent, où se jouent les canots de la marine américaine, suivis d'un sillage ébarbé. Près des docks flottants, des citernes à mazout argentées, semées sur l'herbe comme des écus sur un tapis vert, annonçent le port de Balboa; des magasins de zinc, des gares de fer blanc, sont découpés dans la forêt tenace, qui regagne en quelques jours ce qu'on lui arrache. Les anciennes fortifications, les vieilles batteries mangées par l'humidité disparaissent sous les fougères. A mille pieds au-dessus du Canal, du haut de mon observatoire, j'aperçois les différents niveaux d'eau et la tranchée ouverte dans le sol rouge, comme tracée au bistouri dans de la chair. Première écluse et lac de Miraflores. Les repères montrent le chemin aux bateaux, perdus comme des enfants dans la forêt. Des routes laquées au goudron festonnent le long du chemin de fer. La station de radio de Darien élève au-dessus des arbres à pain et des bananiers ses trois mâts émetteurs d'ondes.

Je voudrais suivre l'aventure de tous
ces bateaux, bateaux du Honduras pleins
de bananes vertes, bâtiments allemands
dont le nom se lit en gros caractères à
babord et tribord, paquebots anglais
d'Australie, vapeurs français des Iles
Marquises et de Tahiti; la flotte américaine de la Grace Line, les *Santa* arrivent d'Amérique du Sud et prennent la
file derrière des cargos pleins de nacre et
de coprah polynésiens, de wolfram ou de
tungstène boliviens, de nitrates chiliens,
de guanos péruviens, de peaux patagoniennes.

Port de Balboa, du nom du premier
Espagnol qui aperçut le Pacifique. Perdu
dans les marécages, Balboa suivait l'or à
la piste; soudain son chien aboie, tombe
en arrêt : il vient de lever, comme du
gibier, un océan, un monde. Balboa court
sur la plage; fou de joie, il se jette en
armure, tout habillé, dans l'eau, la boit
à travers son casque, sans prendre la
peine de lever son morion, fait une gri-

mace, en la découvrant salée..... (car il se
croyait sur les bords d'un grand lac dont
des eaux allaient jusqu'en Chine). Ainsi il
prend possession du Pacifique l'épée levée,
au nom des souverains espagnols.

D'où je suis, j'aperçois maintenant
tout l'isthme avec sa géographie mince,
sa taille de guêpe, son articulation étrange,
sa tige cassable. Nous laissons sur notre
gauche le canal serpentant dans une verdure éternelle, à travers les glissements de
la terre rouge déchiquetée par la dyna-
mite; après avoir quitté la voie ferrée,
notre avion se dirige vers une ligne
droite, lumineuse qui surgit : l'Atlantique. Le Pacifique s'éloigne. Nous sommes à douze cents mètres, à cheval sur les
deux océans, sur la ligne du partage de
leurs eaux inégales; dans le remous de
leurs vents contraires; au-dessus de cette
forêt qui fait face de tous côtés pour ne
pas se laisser investir. Nos roues sortent de leur gaîne boueuse, car la descente est proche. Il y a tellement d'avions

dans ce ciel américain qu'on a établi le
sens unique au-dessus du Canal. (Beaux
ciels de France, combien d'années encore
serez-vous vides?). A perte de vue, des
îles, des baies, des criques, des décou-
pures, des milliers d'arbres morts, derniers vestiges de forêts submergées par
l'irruption de l'eau salée, qui les faucha
comme un feu rasant; arbres qui ressemblent à ceux de l'*Enfer*, arbres « qui ne
portent pas de fruits, mais des branches
empoisonnées »..... et des cormorans, au
lieu de harpies. Les montagnes couron-
nées de vapeurs blanches s'écartent, définitivement forcées, et Cristobal apparaît.
Voici l'écluse de Gatun, béante issue sur
l'Atlantique.

En 1502, Colomb jetait l'ancre devant
ces lagunes. Il tomba aussitôt en arrêt
devant les perles incrustées dans le bois
des pirogues, l'or aux oreilles des indigènes : « J'y ai vu plus d'or en un jour
qu'en un an dans toute l'Espagne »,
écrit-il à son Roi, en pensant à sa Reine.

Comme la Valkyrie debout derrière le
héros wagnérien, derrière chaque conquérant on distingue une figure de femme:
c'est Cléopâtre pour César, Elisabeth
pour Drake, Catherine pour Potemkine,
Victoria pour Kitchener; pour Colomb,
cette inspiratrice fut Isabelle de Castille...

« Portez du beurre, dit un proverbe
russe, il vous en restera toujours aux
doigts ». A force de transborder d'un
océan à l'autre, du Pérou et du Mexique
vers l'Escurial, barres, poudre et lingots
d'or, Panama s'enrichit. Fondé en 1519,
il est si prospère, un siècle plus tard,
qu'on doit le cadenasser et le fortifier,
comme un coffre d'usurier.

Ayant refait par la route et par le rail
le chemin parcouru la veille par les airs,
je m'égarai dans la forêt où l'on perd la
trace des anciennes chaussées espagnoles
qui conduisent au vieux Panama, cam-
briolé et brûlé en 1668, par Sir Henry
Morgan, le corsaire. Que reste-t-il de
tant d'opulence? Des cimetières. Sur les

décombres des églises et des palais poussent aujourd'hui les bougainvilleas et les
lys sauvages, couleur de cuivre. La nature
tropicale profite de tous les avantages et
surtout des luttes entre les hommes pour
reprendre ce qu'on lui a enlevé. Ailleurs,
je vis des ruines plus récentes, des dragues
rouillées, des percées amorcées et à l'a-
bandon, puis le petit charnier où dorment
tant des nôtres..... Après les ruines espagnoles, les ruines françaises; après notre
désastre, le triomphe américain qui ne
coûta pas moins cher et remplit la terre
panaméenne, nécropole cosmopolite, d'os-
sements nègres, chinois, hindous. Cimetières indigènes, pareils à des colombiers...
Les prêtres espagnols (pour une fois d'ac-
cord avec les sorciers indiens), avaient
refusé l'approbation de l'Eglise au creuse-
ment du canal. « Il ne faut pas, disaient-ils,
unir ce que Dieu a séparé ». Peut-être un
jour Dieu leur donnera-t-il raison et sur
un isthme ressoudé, retombé sous le joug
de la Fièvre Jaune, les singes joueront-ils

sur les antennes de T. S. F., ou parmi les squelettes de dynamos perdus dans les fougères et les lianes?

C. Z.

La souveraineté américaine ne dépasse pas Cristobal et la zône du canal (Canal Zône, C. Z., disent les Yankees). Une frontière qui n'est qu'une bande blanche tracée sur l'asphalte, sépare les Nordiques des Latins; mais rien, pas même une ligne idéale, ne sépare les Latins des Nègres. A Cristobal C.Z., l'alcool est interdit, mais à trente mètres de là, à Colon, c'est une véritable nappe d'alcool, un gisement de spiritueux. Sous le plafond bas des nuages équinoxiaux, sous les éclairs qui compartimentent le ciel, des fonctionnaires, des midships, des voyageurs dont aucune nuit n'est

semblable à la précédente, boivent à la
lueur des photophores, devant des pano-
plies de bouteilles. L'œil plonge au fond
des cafés arabes, mexicains, colombiens,
français, dont les portes grandes ouvertes,
violemment éclairées, jettent seules un
peu de lumière sur les rues obscures;
l'un d'eux est tenu par un évadé de la
Guyane, assassin honoraire devenu char-
cutier et qui « fait » aussi le restau-
rant; des Chinois passent, voués au blanc
ou au noir, marchands de charbon de
bois ou blanchisseurs; au bout d'un long
index ambré, ils balancent le porte-man-
teau auquel sont accrochés les smokings
immaculés des danseurs américains; car
ceux-ci, membres de mutualités, *Elks*
ou *Rotarians*, sont en train de suer au
Washington Hôtel et changent de linge
entre les danses.

L'isthme est désinfecté et antiseptique.
Des infirmiers habillés de blanc, debout
dans des camions, seringue à la main
comme des médecins de Molière, purgent

l'air et trucident le microbe. Cette chasse
à courre du moustique de la fièvre jaune
se termine par un va-l'eau dans le lac de
Gatun, survolé périodiquement par les
avions des services d'hygiène qui répandent de la poudre insecticide et du pétrole sur la surface des eaux, aux périodes
dangereuses de la ponte. Mais si, grâce à
tant d'efforts, le climat n'est plus homi-
cide, il n'est cependant pas sain; les chevaux de la brigade de cavalerie contem-
plent sans appétit leur avoine, et les tou-
ristes sont effondrés dans les *coches*,
vieilles victorias à cinquante francs
l'heure. Fatigués sont tous ces employés
du canal, ces marins et ces soldats, et les
enfants des officiers, derrière la toile métallique des bungalows, ont les yeux cernés, le teint jaune. Au Washington, dans
un cadre de cocotiers et de poivriers roses,
sous les casemates du Fort Randolph, les
filles d'amiraux, alanguies, jambes nues,
corps nu sous les robes de foulard léger,
regardent plonger dans l'eau tiède les

capitaines aviateurs, vite lassés. Dans
les bureaux cliquètent sans entrain les
Remington rouillées par l'humidité; le
papier est trempé, les enveloppes collent
aux doigts et les employés en bras de
chemise expédient avec des gestes mous
le courrier quotidien, jusqu'à l'heure du
coucher de soleil abricot. Les *America-
nos* de passage, en tussor et en palm-
beach, luttent contre la tristesse et la
décomposition à l'aide de gros morceaux
de glace.

Dans les rues de Colon, derrière les
boutiques hindoues où l'on vend des
châles et des panamas, vit une population en grande partie nègre, et aussi
beaucoup d'Italiens, d'Arabes, de Russes,
de Syriens et de Chinois. Les plus heureux sont, naturellement, les nègres qui,
dans leurs maisons à trois étages et à balcons de bois, se lèvent vers six heures du
soir; longtemps ils se font beaux pour
sortir et se regardent dans des miroirs;
après avoir essayé de passer le peigne dans

leurs cheveux crépus, ils y renoncent et
se grattent avec les ongles. Ils s'alanguis-
sent, s'étirent, puis retombent, de fatigue,
sur leurs lits.

Il pleut dans Panama City; la pluie
dégoutte des palmiers royaux, lave les
murs rongés d'humidité. Les églises (sous
les porches sont rangées les statues de
procession, gigantesques comme celles
des carnavals niçois) opposent leurs façades ouvragées aux surfaces simples
des banques américaines : Las Mercedes
contre Guaranty Trust. Les métis, en
pantalon à pattes d'éléphant et en chemise rose, assis aux terrasses des cafés
ou debout aux courbes des trottoirs, attendent des sinécures. Dans les rues
sombres des vieux quartiers de Caledonia,
sur les anciennes fortifications, l'amour
n'est pas cher. Panama parle espagnol et
Cristobal anglais. Panama vend des crucifix et Cristobal des machines à glace.
Panama fume du tabac noir et Cristobal
du tabac jaune. Cristobal couche sur des

sommiers métalliques et Panama dans la plume. Cristobal se lave et Panama reluit. Cristobal fait de la politique mondiale et Panama du caciquisme d'arrondisse- ment. A Cristobal, tout le monde est rasé; Panama est la ville des barbes de trois jours.

Je n'oublierai pas ce spectacle de force et de jeunesse : France Field au travail. Par des terrains récemment conquis sur le marécage, j'ai gagné le grand aéroport américain, le pigeonnier cent pour cent yankee, la basse-cour des avions de la Marine. J'en aperçois les poteaux blancs, le rouge éclat des casernements, le han- gar à saucisses, les villas noires des offi- ciers, cachées dans les bananiers où la tache rose d'une robe de négresse ré- veille la monotonie des verts que les fleurs d'hybiscus ne suffisent plus à ani- mer. De grand matin, tout le monde s'est mis à l'ouvrage et de loin j'entends les moteurs emballés au fond des hangars

de ciment. Une lumière neuve, un air
lavé, réveillent ce paysage de bonne humeur et de santé, au sein du croupisse-
ment et de la déchéance. Pas un raté, pas
une tache d'huile, pas une économie,
pas une inquiétude. Cent avions sortent,
s'apprêtent. La marine américaine, le
calot posé de travers sur les cheveux
blonds et lisses, est assise à cheval sur le
canal de Panama (ce canal est fait, comme
chacun sait, pour relier New-York à San
Francisco...) Les hommes, fiers d'une
peau jeune et lumineuse, ont tous le torse
nu, hâlé en rouge. Les officiers travaillent
en costume de bain, car la chaleur est
déjà pénible. Dans un hangar, des équipes
inspectent les parachutes, examinent une
à une leurs longues jupes de soie blanche
d'où pendent les fines cordelettes. Tous
les moteurs chantent : les avions saluent
l'aube de leur ramage.

France Field n'est pas terrestre : tout
s'y avère marin ou aérien : monoplans
de chasse aux ailes jaunes, comme des

hirondelles d'Argentine, porteurs de gros
tonnage, biplans triplaces de bombarde-
ment, dont le poste d'observation avance
au-dessus de l'eau, masquant le pilote
caché dans les ailes, appareils de combat aux hélices invisibles. Les gouver-
nails laqués rouge, ornés de leurs totems,
sont vérifiés, les commandes éprouvées,
la hausse des mitrailleuses réglée. Des
amphibies arrivent sur berceaux, sont
transportés par tracteurs. Voici un Com-
modore, le dernier appareil sur lequel je
prendrai place avant les Etats-Unis : vrai
bateau volant argenté; tramway à trente-
cinq places, aux ailes longues de quinze
mètres. Près de lui sont rangés les hydravions géants du service Jamaïque-Ha-
vane-Miami, aux flotteurs gros comme
des barques, et dont le corps est un yacht.
Tous les as de la zone, les « astiqueurs de
pylone » sont ici, essayant leurs moteurs
surcomprimés, les faisant vibrer jusqu'à
éclatement. Sur l'eau, par groupes, les
avions ricochent, désaffleurent, s'arra-

chent en quelques mètres et escaladent
le ciel. France Field est une grande scène
aérienne, dont les portants sont la montagne et la forêt vierge. Le décor, c'est
la nature elle-même, comme aux repré-
sentations antiques et, montés sur patins
comme des acteurs tragiques, des hydravions attendent le départ. Ils s'envolent
par essaims et le ciel en est obscurci.

MER DES ANTILLES

Les vapeurs informes de cette région
perpétuellement humide font penser à
celles des origines du monde, à celles
dont s'entourent encore des planètes
comme Vénus ou Mercure. Il ne leur
manque que d'arroser des sauriens, aux
langues plus longues que le corps. Le
vent nous pousse dans les reins. Nous
glissons sur des mers vides, d'un vide

métaphysique, transportés tout droit vers
le nord par une invariable voilure. De la
côte du Honduras je n'aperçois que ce
que m'en indique la carte. Ici la géographie a emprunté aux flibustiers leur langage : îles du Petit et du Grand Caïman,
la Crique du Français, le banc de Quitte-
Songes, la Pointe du Singe, la Baie des
Cocos, le cap du Désespoir... Il n'y a
rien d'autre qu'une terre rouge, que des
schooners blancs aux deux mâts rappro-
chés qui se balancent dans les anses
désertes, que des bananeraies où la stan-
dardisation des régimes vient ajouter encore à la monotonie habituelle des plantations tropicales.

Le Mexique à gauche, Cuba à droite.
Nous sommes au grand carrefour caraïbe.
Au sortir du détroit du Yucatan, un coup
de vent descendu du Mississipi vient
nous frapper de face, nous rafraîchit et
ramène avec lui la promesse de climats
froids et secs. La nuit cesse déjà d'être
égale au jour et le crépuscule tombe plus

vite. C'est le premier signe de l'hiver et nous l'accueillons avec la joie de retrouver le rythme prochain des latitudes qui nous virent naître... Une brève, une longue, une brève, une longue..., ainsi les hélices font entendre une chanson prosodique qui nous endort autant que la contemplation de cette surface liquide, granuleuse comme de la semoule, que rien ne vient briser. Traversée du Golfe du Mexique, tout bleu, jusqu'à ce que l'eau prenne cette couleur terreuse qui annonce la proximité d'un grand fleuve : c'est le Mississipi, Père des eaux.

TROISIÈME TOMBEAU AMÉRICAIN

On abordait jadis à la Nouvelle Orléans par le détour des lacs, en passant par le delta ensablé, loin des bouches du fleuve, si difficiles d'accès. La Salle, qui pour-

tant les avait découvertes, les manqua en
revenant de France pour la dernière fois
et, sur la Terre du Parfait Printemps, ne
trouva que la mort. Où je prends pied, il
y a plus d'eau que de sol; je foule un her-
bage fait de chardons et de plumets, que
paissent des mules roussies; la route est
bordée de mares rouges comme de l'urine
de porc, où croissent des cressons crépus;
mes pieds font claquer le sol de coquillages, écrasent les spirales des conques
fragiles qui ont réussi à former ces bancs
marins, le long du golfe, chaque jour
comblé davantage. Les champs de coton
brun et les roseaux de cannes à sucre
alternent avec des steppes de palmiers
nains dont les sabres en éventail me pi-
quent aux jambes; les feuilles du maïs
font un bruit de papier sec. Tout semble
vieux ici; aux grands orages caraïbes a
succédé un air d'une finesse très ancienne.
Ce ne sont plus des cadavres de chevaux
qui bordent la route, mais des cadavres
de Ford, aux tôles tordues par les souf-

frances d'une trop longue vie, aux cous-
sins troués, où tout a péri, sauf les yeux
clairs des phares. Ailleurs, les balles de
coton cerclées de bandes de fer moisis-
sent en plein vent. Les filets de pêche
sont déchirés, les nègres ont l'air aussi las
que les mules qu'ils montent sans étriers;
de la pipe de terre qu'ils fument il ne
reste que le culot.

« Nous nous assîmes au milieu d'une
vaste plaine ». Ces mots de Des Grieux,
ces simples mots m'ont toujours rempli
d'une fatigue désespérée. « Au milieu
d'une vaste plaine... » C'est ici même que,
jadis, le père La Salle disait sa messe,
entouré de pirogues indiennes, ici, à quarante kilomètres de la Nouvelle-Orléans,
près du bayou Saint-Jean. Sous des arbres
anémiques sucés par les parasites, des croix
de bois sortent du sol. Autour des guin-
guettes où, le dimanche, les nègres viennent manger des crabes mous, on erre parmi
les tombes, dans quelque vieux cimetière

français, où dorment depuis plus de deux siècles nos nobles, nos prêtres, nos aventuriers, nos prostituées, parmi des esclaves africains.

Terre de Louisiane, pour la seconde fois tu m'accueilles et je retrouve ton visage désolé comme celui d'une jeune malade incurable. Louisiane, géhenne ensoleillée et inhabitable, qui tour à tour sus combler de joie et broyer sous la déception la plus atroce ceux qui, — pour parler comme les dossiers du lieutenant-général de la police — arrivaient ici « condamnés au Micicipy ». Le Minotaure américain avalait alors chaque année des bateaux entiers, chargés de jeunes filles de France... Les missions catholiques et le Conseil de la Marine, ayant interdit les mariages mixtes aux colonies, afin de ne pas créer une classe de mulâtres « d'un naturel dur et fainéant », le Régent avait offert à Law, et Law à la Compagnie des Indes, des filles de douze à seize ans, orphelines ou pénitentes, demoi-

selles de moyenne vertu, parfois même
de naissance noble, marquées au lys et au
fouet. Seule de toutes ces filles « fourbes
et séditieuses », « gastées de vérole »,
Manon est venue jusqu'à nous... Sur la
grand'route de Paris au Havre de Grâce, à
Pacy-sur-Eure, l'Abbé Prévost rencontra
le lugubre troupeau enchaîné qui chemi-
nait encadré d'archers. La beauté, les
larmes d'une de ces filles soumises l'ému-
rent; il voulut connaître son histoire. De
cette « actualité » il tira l'immortel roman;
l'actualité peut ainsi parfois s'élever à la
pérennité.

« Nous nous assîmes au milieu d'une
vaste plaine ». Assis moi-même sur un tas
de coquillages brisés, dans l'humide solitude d'une fin de déluge, je pense à ces
voyageurs, déportés par ordre ou exilés
volontaires qui, débarquant des flûtes du
Roy, découvraient cette malsaine France
d'Amérique, si déserte après l'agitation
de la rue Quincampoix, ces arbres à barbes vénérables, si désolés après les verts

quinconces des Tuileries, et ces sauvages conseils de *sachems* accroupis et fumant le calumet, d'une terrifiante étrangeté après les petits soupers aux chandelles, dans l'hôtel de Transylvanie...

« Nous nous assîmes au milieu d'une vaste plaine... » Je n'ai pu faire comme eux. Sous la piqûre des moustiques, mon corps s'est mis à enfler de toutes parts; j'ai dû me réfugier dans l'auto, toutes vitres closes malgré la chaleur et, de là, contempler le petit dôme de mousse velue sous lequel dort peut-être la dangereuse petite fille qui, à quinze ans, mena avec tant d'inconscience et de sincérité « son pauvre chevalier » du relais d'Amiens à la Louisiane. Comme les moustiques durent boire avidement son rouge sang picard !

« On va faire embarquer les belles,
Elles s'en vont peupler l'Amérique d'amours. »

Ainsi chantait Paris. Mais l'amour ne manquait pas à l'Amérique; l'amour, elles

le cachaient dans leurs coffres, ces puri-
taines de la Nouvelle-Angleterre, ces pay-
sannes de la Nouvelle-France qui suivi-
rent leurs maris au fond de la prairie. Ce
que Manon apportait ici, c'est la nos-
talgie du plaisir. Mais le plaisir mourut avec elle; l'air indien dessécha cette
tendre semence de Paris et ce n'est qu'à
Paris que les filles d'Amérique peuvent
aujourd'hui encore en cueillir la fleur.

Je ne sais plus, Manon, où tu reposes,
parmi tant de tertres qui gonflent à peine
le sol coquiller, comme un corps d'enfant
soulève les draps; tombeaux français du
Mississipi, où filtre une eau déjà amère,
qui a le goût des larmes.

TABLE DES MATIÈRES

CE VOLUME A PARU PRÉCÉDEMMENT DANS LA COL-
LECTION « *Pour mon plaisir* »; LE TIRAGE A ÉTÉ DE
DEUX MILLE CINQ CENT ONZE EXEMPLAIRES, DONT :
DIX EXEMPLAIRES SUR JAPON IMPÉRIAL, NUMÉROTÉS
JAPON 1 à 5 ET I à V; TREIZE EXEMPLAIRES SUR
PAPIER D'AUVERGNE, FABRIQUÉ A LA MAIN, NUMÉ-
ROTÉS AUVERGNE 1 à 8 ET I à V; VINGT-TROIS
EXEMPLAIRES SUR VÉLIN D'ARCHES, NUMÉROTÉS
ARCHES 1 à 15 ET I à VIII; QUATRE-VINGT-CINQ
EXEMPLAIRES SUR VÉLIN PUR FIL LAFUMA, NUMÉ-
ROTÉS VÉLIN PUR FIL 1 à 75 ET I à X; ET DEUX
MILLE TROIS CENT QUATRE-VINGTS EXEMPLAIRES
SUR ALFAX NAVARRE (DONT DEUX CENT VINGT RÉSER-
VÉS AUX SÉLECTIONS LARDANCHET), NUMÉROTÉS
ALFA 1 à 1980 ET EXEMPLAIRE DE PRESSE 1 à CD.

EXCEPTIONNELLEMENT IL A ÉTÉ TIRÉ : SOIXANTE
EXEMPLAIRES SUR PAPIER HOLLANDE, NUMÉROTÉS
1 à 50 ET I à X.

ET RÉSERVÉ A L'AUTEUR ET A SES AMIS : DIX
EXEMPLAIRES SUR JAPON NACRÉ, NUMÉROTÉS JA-
PON NACRÉ 1 à 10; QUARANTE EXEMPLAIRES SUR
VÉLIN DE RIVES, NUMÉROTÉS RIVES 1 à 40; ET CIN-
QUANTE EXEMPLAIRES SUR PAPIER VERT LUMIÈRE
NUMÉROTÉS VERT LUMIÈRE 1 à 50.

ACHEVÉ D'IMPRIMER
LE 3 JUIN 1932 PAR
L'IMPRIMERIE FLOCH
A MAYENNE (FRANCE).